dutch mountains

dutch mountains

francine houben / mecanoo architecten

荷蘭人造山

法蘭馨

荷本

麥肯諾

建築師事務所

fotografie/photography/攝影
harry cock

tekst/text/內文
jan tromp

Uitgeverij de Kunst

Inhoud / Contents / 目錄

Francine Houben heeft een aantal liefdes.
 Ze is moeder, ze heeft een man, ze heeft ouders. Ze heeft ook, samen met vier partners, een architectenbureau met negentig medewerkers uit 25 landen. Je hoeft die andere liefdes niet tekort te doen om vast te stellen dat ze verslingerd is aan het bureau en haar vak.
 Dit boek is meer dan een boek over architectuur. Het gaat over prachtgebouwen, all over the world, naar Nederlands ontwerp. Het gaat over een vrouw die zichzelf is gebleven in de wonderlijke en harde wereld van de internationale architectuur. Het gaat over het weergaloze succes van een nog altijd idealistisch gemotiveerd architectenbureau, Mecanoo uit Delft.
 Gebouwen van Mecanoo zijn nooit alleen maar monumentaal. Het bureau draagt de overtuiging uit dat de publieke ruimte het geestelijk eigendom is van de plaatselijke bevolking en dat om die reden publieke gebouwen zich moeten voegen naar de sociale en natuurlijke omgeving.
 Francine Houben was in 1984 een van de oprichters van Mecanoo. Geheel naar de geest van de tijd, zeker in Nederland, werden de jonge architecten van Mecanoo gedreven door maatschappelijk idealisme, veel meer dan door persoonlijke ambitie. Verheffing van de bevolking, een bijdrage aan de leefbaarheid – dat was het grote doel.
 Woningbouwprojecten moesten de gemeenschap ten goede komen en kwaliteit moest de grauwheid van de sociale woningbouw vervangen.

Bijna dertig jaar later is leven en werk van Francine Houben aanzienlijk veranderd. In 2008 werd ze in Nederland uitgeroepen tot Zakenvrouw van het Jaar. Het werkterrein van Mecanoo is internationaal geworden. Maar de missie is dezelfde als die van 1984. De opdracht is nog altijd kwalitatieve verbetering van de leefomgeving. Over de enorme bibliotheek in het centrum van Birmingham zegt Houben bijvoorbeeld: 'Ik wil samenhang brengen, temidden van de etnische diversiteit van de stad en de sporen van het industriële verleden.'

Houben vertrouwt op haar intuïtie, naar een songtekst van John Lennon: 'Intuition takes me everywhere.' De ontwerpen van Mecanoo zijn gebaseerd op vorm. En op emotie. Op rationaliteit. En op sensualiteit.

Dutch Mountains is de titel van dit boek. Het verwijst naar de jeugd van Francine Houben in het romantische, heuvelachtige landschap van het zuiden van Nederland. De titel verwijst ook naar een belangrijk kenmerk van haar werk. Dikwijls is het glooiend en golvend, het verheft zich boven het vlakke land en tegelijk is het in compositie en materiaal met het aardse verbonden. Dutch Mountains toont projecten van Mecanoo van over de hele wereld. Gebouwen die alweer een geschiedenis kennen, recente ontwerpen, projecten in opbouw. Van Kaohsiung, de grootste havenstad van Taiwan, tot de Bijlmermeer, de bekendste multiculturele wijk van Amsterdam en vermoedelijk van heel Nederland. Van een theater en conferentiecentrum in Lerida, Spanje tot de grootste bibliotheek van Europa in Birmingham, Engeland.

Dutch Mountains is de trektocht van Francine Houben over de wereld, in acht fotoreportages.

Francine Houben has several loves.
She is a mother, she has a husband, she has parents. She
also has, along with her four partners, an architecture
bureau with a staff of 90 from 25 different countries.
She is as devoted to her family as to her profession and
commitment to Mecanoo. This book is more than a book
about architecture. It is about beautiful buildings, all over
the world, created according to Dutch design. It is about
a woman who has remained true to herself in the strange
and harsh world of international architecture. It is about
the matchless success of the always idealistically motivated
architecture bureau from Delft, Mecanoo.
Mecanoo's buildings are not just monumental. The practice
carries the conviction that public space is the intellectual
property of the local population and that public buildings
should respect the social and natural environment.
 Francine Houben was one of the founders of Mecanoo
in 1984. Entirely in the spirit of the time, especially in
the Netherlands, young architects were driven by social
idealism far above personal ambition. Uplifting the people,
contributing to quality of life - that was the great goal.
 Housing projects had to benefit the community and quality
was to replace the drabness of social housing.
 Nearly thirty years later, the life and work of Francine
Houben has changed considerably. In 2008 she was named
Business Woman of the Year in the Netherlands. Mecanoo's
playing field has gone global.
 But the mission is the same as that of 1984. The task

remains to improve the quality of the living environment. For example, Houben says of the enormous library in downtown Birmingham: "I want to create cohesion among the ethnic diversity of the city and the traces of its industrial past."

Houben relies on her intuition, as in a song by John Lennon: "Intuition takes me everywhere." Mecanoo's designs are based on form. And emotion. On rationality. And sensuality.

Dutch Mountains is the title of this book. It refers to Houben's youth in the romantic, hilly landscape of the Southern Netherlands. The title also refers to an important feature of her work, which is often hilly and undulating, it rises above the flat land yet is connected to the earth in composition and material.

Dutch Mountains shows Mecanoo's projects from around the world. Buildings which already have a place in history, recent designs, and projects under construction: from Kaohsiung, Taiwan's largest port city, to the Bijlmermeer, the most famous multi-cultural neighbourhood of Amsterdam and probably in the Netherlands. From a theatre and conference centre in Lerida, Spain to Europe's largest library in Birmingham, England.

Dutch Mountains follows the trail of Francine Houben around the world, in eight photo shoots.

法蘭馨‧荷本有幾個至愛。

她有幾個小孩、丈夫、雙親、四位建築師事務所合夥人，以及來自25個國家的90位同事。她奉獻自己給家庭、建築專業與麥肯諾建築師事務所，這不僅僅是一本關於建築的書，更是以荷蘭設計到世界各地完成優秀建築的故事、一位經過世界嚴苛建築世界考驗仍能忠於自己的女性、無比成功且具高理想性的建築師事務所─麥肯諾建築師事務所。

麥肯諾設計的作品不只是考量紀念性向度，而是常保一個信念─「公共空間是當地居民共同的知識財產，因此公共建築應尊重社會與自然環境」。

法蘭馨‧荷本是麥肯諾建築師事務所於1984年的創始人之一，在當時荷蘭的社會氛圍中，年輕建築師都帶有社會理想主義的色彩，增進公眾利益與提升生活品質等都是主要的目標，個人功利反而是其次。住宅設計必須對社區與生活品質有助益，並且避免傳統社會住宅的單調刻板印象。

三十年後，法蘭馨‧荷本的生活與工作都有許多轉變，在2008年她獲得荷蘭年度女性企業家獎項，麥肯諾的舞臺已擴展到全世界。

但是她的理想與抱負仍與1984年當時相同，依然是改善生活環境品質，以英國伯明罕市中心的大型圖書館為例，荷本女士說：「我想在各種不同民族和工業歷史足跡之間創造協調性。」。

　　荷本女士以直覺工作，就像約翰藍儂的一首歌中所描述：「直覺將我帶到任何一方。」，麥肯諾的設計以形式、情感、理性、感官為基礎。

　　「荷蘭人造山」是本書書名，概念來自荷本女士幼年在荷蘭南部的浪漫起伏地形，以及她的作品風格—由平地升起但又與地表質感相連的設計。

　　「荷蘭人造山」中可以看到麥肯諾在世界各地的作品，經典作品、近期完成、甚至正在興建中的案子，包括位在臺灣最大港口城市高雄、荷蘭阿姆斯特丹著名的多元文化社區拜爾莫，不同機能包括位在西班牙萊里達的劇院與會議中心、位在英國伯明罕的歐洲最大圖書館。

　　「荷蘭人造山」以八組照片，跟著法蘭馨‧荷本的腳步到世界各地。

1
Montevideo

Montevideo, Rotterdam,
Nederland (2005)

Montevideo, Rotterdam,
The Netherlands (2005)

蒙得維的亞
（Montevideo，烏拉圭首都），
鹿特丹，荷蘭（2005年）

Aan de Wilhelminapier in de havenstad Rotterdam meerden ooit de oceaan-stomers en cruiseschepen aan van de Holland-Amerika Lijn om de overtocht naar New York te maken. Op de kop van deze pier bouwde Mecanoo de op dat moment hoogste woontoren van Nederland: Montevideo. Het gaat om een toren van 152 meter hoog met 192 woningen, met maar liefst 54 verschillende woningtypes.

Montevideo bestaat uit een compositie van in elkaar grijpende volumes, waarvan een deel boven de kade zweeft. Het gebouw refereert aan de hoogbouw van New York, Chicago en Boston uit het interbellum: bakstenen gebouwen, met een verfijnde detaillering en kleurgebruik, veel dakterrassen en loggia's. De constructie doet mee aan het Holland-Amerikagevoel: een bouwsysteem van afwisselend staal (Amerika), beton (Holland) en weer staal.

De eerste twee verdiepingen zijn geconstrueerd uit staal en dragen de toren en de ver uitkragende Water-appartementen. De 27 verdiepingen daarboven zijn gerealiseerd met een betonnen klimkist. Vanaf de achtentwintigste verdieping is verder in staal gebouwd.

De hoge, ruime entrees van Montevideo hebben iets van de sfeer van een hotellobby, waar je als reiziger arriveert. Het gebouw als geheel refereert aan de doorsnede van een oceaanstomer met verschillende verdiepingshoogten, verschillende prijsklassen en restaurants, kantoren, gastenverblijven en een zwembad met fitnessruimte en sauna.

On the Wilhelmina Pier in the port city of Rotterdam ocean liners and cruise ships of the Holland-America Line set anchor to make the crossing to New York. At the head of this pier, Mecanoo built what was then, the tallest residential tower in the Netherlands: Montevideo. The tower is 152 meters high with 192 apartments and incorporates at least 54 different housing types.

Montevideo is a composition of interlocking volumes, partly floating over the quayside. The building is evocative of the high-rise buildings in New York, Chicago and Boston from the interwar period: brick buildings, with refined details and colours, many roof top terraces and loggias. The construction embodies the Holland-Americafeeling: a building system of alternating steel (America), concrete (Holland) and then steel.

The first two floors are constructed of steel and support the tower and the cantilevered Water Apartments. The 27 floors above have been constructed with a concrete climbing form. From the twenty-eighth floor steel is used.

The high, wide entrances of Montevideo have something of the feel of a hotel lobby, where a traveller arrives. The building as a whole refers to the cross section of an ocean liner with different floor heights, different price classes, and restaurants, offices, guest rooms and a swimming pool with a gym and sauna.

在海港城市鹿特丹威爾漢敏娜（Wilhelmina）碼頭曾經停泊著「荷蘭美國線」跨洋去紐約的郵輪。在此碼頭的端點上，麥肯諾設計了荷蘭最高的居住摩天大樓：蒙得維的亞。這座大樓有152米高，192戶居住單元，54種居住單元類型。

蒙得維的亞由相互交叉的量體組成，其中一部分在碼頭上空懸浮，建築讓人聯想到二次大戰間的紐約、芝加哥、波士頓建築：磚造、精美細部、色彩、屋頂花園與涼廊，結構本身也是一種荷蘭-美國的對比隱喻，由下到上依序為鋼（美國）、混凝土（荷蘭）、鋼（美國）。

最底下兩層是鋼構造，支稱著上面的高樓和懸挑的「水公寓」，上方27層是混凝土格狀結構，28層以上又回復成鋼構。

蒙得維的亞的入口大廳給人一種飯店大廳氣氛，令人感覺像是初次旅行到這裡。整個大樓就像郵輪的斷面，有不同的樓高、不同的價位、餐廳、辦公室、出租式客房及附有健身房和桑拿浴的游泳池。

14

這個碼頭頭曾經是跨洋去美國的郵輪起點。碼頭底端的荷蘭美國航運辦公總部，現已改裝成著名的紐約飯店。

The pier was once the gateway to the New World as ocean liners took emigrants to America. The former headquarters of the Holland-America Line is now the famous Hotel New York.

Vanaf de Wilhelminapier vertrokken vroeger de oceaanstomers met emigranten naar Amerika. Het voormalige hoofdkantoor van de Holland-Amerika Lijn is nu het beroemde Hotel New York.

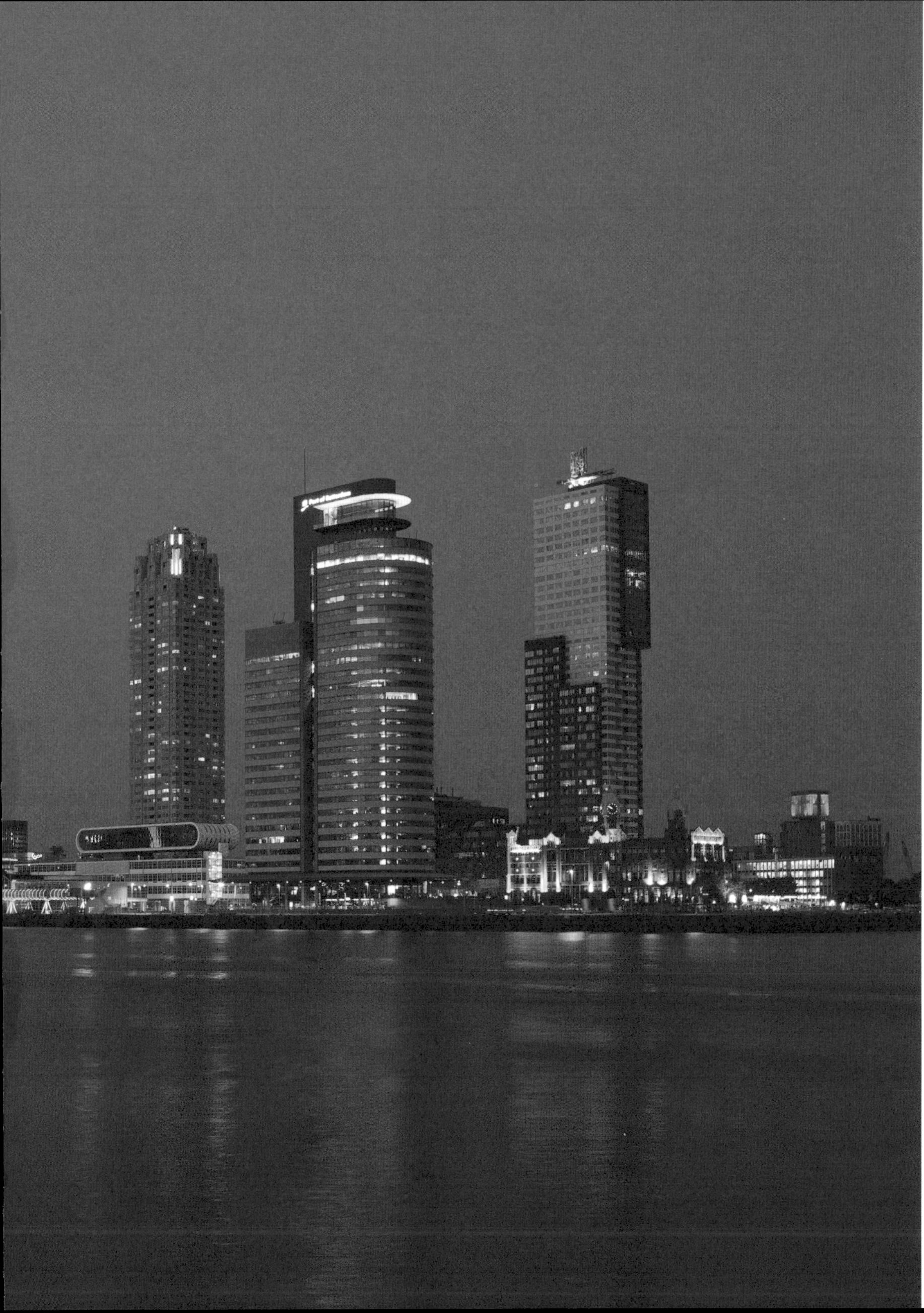

16

Montevideo bestaat uit een compositie van in
elkaar grijpende volumes, waarvan een deel
boven de kade zweeft. In 2005 was Montevideo
de hoogste woontoren van Nederland.

The building is a composition of intersecting
volumes, one of which is suspended above the
quayside. In 2005 Montevideo was the highest
residential tower in the Netherlands.

建築由相互交叉的量體組
成，其中一部分在碼頭上空懸
浮，2005年當時是荷蘭最高
的住宅大樓。

ROTTERDAM 鹿特丹

NEDERLAND/THE NETHERLANDS/荷蘭

MONTEVIDEO 蒙得維的亞

建築頂端冠上一個八公尺高的「M」形狀風向標，代表「Montevideo」、港邊的「Maas」河等等。

The 'M' crowning the building, an 8-metre high weather vane, stands for Montevideo, yet also for the river Maas, Rotterdam's Maritime tradition and much more.

De M op het dak, een windwijzer van acht meter hoog, is van Montevideo, maar ook van de rivier de Maas, van de Maritieme traditie van Rotterdam en van nog veel meer.

建築讓人聯想到二次大戰間的紐約、芝加哥、波士頓：精細花部、磚造、色彩、屋頂花園與涼廊。結合多種結構系統以提供高彈性配置的平面（美國）。上方直到下兩層是鋼構最底，是混凝土結構（荷蘭），以上又回復成鋼構。

The building refers to the interwar high-rise buildings of New York, Chicago and Boston: brick with refined detailing and use of colour, plenty of roof terraces and loggias. The hybrid construction delivers highly flexible floor plates and consists of steel (America) on the two lower levels with concrete (Holland) up to a height of 90 metres and then steel again.

Het gebouw refereert aan de hoogbouw van New York, Chicago en Boston uit het interbellum: bakstenen gebouwen, met een verfijnde detaillering en kleurgebruik, veel dakterrassen en loggia's. De constructie is hybride van aard, de onderste twee bouwlagen zijn van staal (Amerika), dan volgt tot negentig meter hoogte beton (Holland) en daarna gaat het weer verder met staal, wat vrij indeelbare vloeren oplevert.

ROTTERDAM 鹿特丹

NEDERLAND/THE NETHERLANDS/荷蘭

MONTEVIDEO 豪得維的亞

整個大樓就像郵輪的斷
面，有不同的價位、不同的平
面、不同的樓高，立面上舷窗
般的窗戶是海洋文化的比喻。

The building section is reminiscent of an ocean liner or cruise ship: different price classes have different floor plans and storey heights. The porthole windows are a play on the Maritime analogy.

De doorsnede laat zich rijmen met die van een oceaanstomer of cruiseschip. Met de prijsklassen verschillen de vloeroppervlakken en de verdiepingshoogten. De ronde ramen doen mee in dit spel.

ROTTERDAM 鹿特丹

NEDERLAND/THE NETHERLANDS/荷蘭

MONTEVIDEO 蒙得維的亞

選擇的結
構形式提供多
種可能
性，包括不同
樓層高、五十
多種住宅單元
等。開窗、語
臺、陽臺、涼
廊等元素形成
充滿韻律的立
面構圖。

The construction
allows room for
variation, different
storey heights
and more than
fifty different
floor plates. The
windows, balconies
and loggias form a
rhythmic pattern.

De constructie biedt
ruimte voor variatie,
verschillende
verdiepingshoogten
en meer dan vijftig
verschillende
plattegronden.
Ramen, balkons
en loggia's zijn in
ritmische patronen
geplaatst.

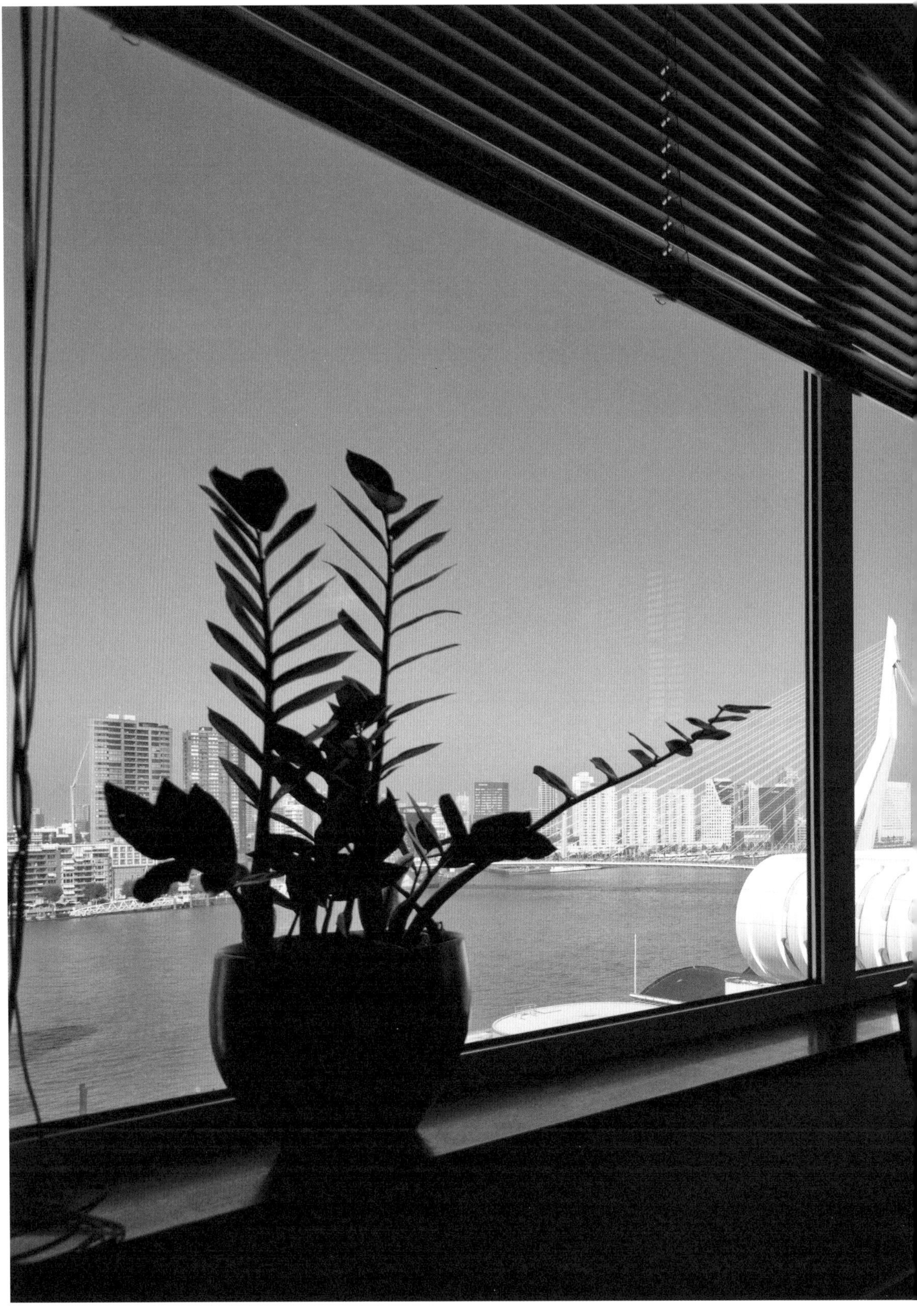

在充滿當代作品的鹿
著名當代作品的鹿
築師丹市，建築師
其它建築師
包括 Norman
Foster、Rem
Koolhaas、Ben
van Berkel、
Renzo Piano、
Alvaro Siza繪
出整個城市天
際線。

Rotterdam, city
of architecture,
builds a new
skyline with
architects such
as Norman
Foster, Rem
Koolhaas, Ben
van Berkel,
Renzo Piano,
and Alvaro Siza.

Rotterdam, city
of architecture,
bouwt een
nieuwe skyline
met architecten
als Norman
Foster, Rem
Koolhaas, Ben
van Berkel,
Renzo Piano en
Alvaro Siza.

2

Whistling Rock Country Club golf clubhouse

Whistling Rock Country Club
golfclubhuis, Chuncheon,
Zuid-Korea (2011)

Whistling Rock Country Club golf
clubhouse, Chuncheon, South Korea
(2011)

呼嘯岩高爾夫球俱樂部，
春川，南韓（2011年）

Op 75 kilometer ten noordwesten van de Zuidkoreaanse hoofdstad Seoul ligt Whistling Rock, een exclusieve 27 holes golfbaan. Het complex wordt omgeven door een schitterend berglandschap, dat voor Mecanoo de inspiratiebron was voor het ontwerp van een clubhuis en drie theehuizen.

Het ontwerp vormt een uitgewogen balans tussen een luxe golfclubhuis en een zorgvuldige inpassing op de gevoelige locatie. Het gebouwconcept creëert een room with a view: een transparante gevel ingeklemd tussen twee platen natuursteen, zwevend boven het landschap.

Het clubhuis doet denken aan een museum waar leden en bezoekers worden uitgenodigd te genieten van kunst, cultuur en natuur. Een plek om te bewonderen, te genieten en aan terug te denken. Het interieur met haar eenvoudige vormen, natuurlijke materialen, witte vloeren en plafonds creëert rust en balans in het gehele gebouw.

Op verschillende plekken langs de golf-baan staan theehuizen, drie in totaal, tempel, cocon en wolk. Elk theehuis vormt een beeldhouwwerk op zichzelf. In het avondlicht is het een sprookjesachtige ervaring, zowel vanaf de golfbaan als vanuit het clubhuis.

Seventy-five kilometers northwest of the South Korean capital, Seoul, is Whistling Rock, an exclusive 27 holes golf course. The complex is surrounded by beautiful mountain scenery, which was Mecanoo's inspiration for the design of a clubhouse and three tea houses.

The design reflects a careful balance between a luxurious golf clubhouse with environmental consciousness and site sensitivity. The design concept is that of a room with a view: a transparent façade in between two horizontal natural stone slabs. The building appears to float above the surrounding landscape.

The clubhouse is rather like a museum, where members and visitors are invited to celebrate art, culture and nature: a place to admire, to experience and to remember. The interior with its simple forms, natural materials, white floors and ceilings creates balance throughout the building.

Tea houses are located along the golf course in several places, three in total. Each tea house is a sculpture in itself. At dusk, it is a magical experience, either from the golf course or from the clubhouse.

在離南韓首都首爾西北方75公里處，座落著一個27洞的高級高爾夫球場：呼嘯岩。球場周圍的宜人山勢，是高爾夫球俱樂部主館與三個茶藝館設計的靈感來源。

設計手法結合俱樂部需要的奢華感與對環境意識的敏感度，概念是設計一個能把周圍美景盡收眼底的盒子—兩片自然石材上下夾住水平透明開口，輕輕飄浮在優美的景觀上。

因業主將在俱樂部內展示個人藝術收藏，這個俱樂部被當做博物館般設計，天然材料結合純白天花與地板，提供平和的背景，所有來賓在此空間中享受文化與自然的饗宴，欣賞、經驗、與記憶愉悅的感官享受。

三個茶藝館沿著球道分散配置，依照所在位置的差異，每個造型語彙都不同，但都有雕塑品般的設計品質，不管是待在俱樂部或是在打球途中，三個建築都具有地標般的效果。

46

We ontwierpen voor de opdrachtgever, een verzamelaar van moderne kunst, ook Heungkuk Plaza in Seoul met the Hammering Man van Jonathan Borofsky.

For the client, a collector of modern art, we also designed Heungkuk Plaza in Seoul with Jonathan Borofsky's The Hammering Man.

為這位喜好收集現代藝術的業主，我們也設計了位在首爾的Heungkuk Plaza，廣場上展示藝術家Jonathan Borofsky的作品The Hammering Man。

48

27洞同高爾夫球場周圍的
宜人山勢，是高爾夫球俱樂
部主館與3個茶藝館設計的靈
感來源。

With such a beautiful mountain landscape
surrounding the 27-hole golf-course, it was only
natural that this be our design inspiration for the
clubhouse and the three tea houses.

De 27 holes golfbaan ligt in een
prachtig berglandschap. Het
was vanzelfsprekend dat dit de
inspiratiebron zou vormen voor het
clubhuis en de drie theehuizen.

52

Het ontwerp vormt een uitgewogen
balans tussen een luxe golfclubhuis
en een zorgvuldige inpassing op de
gevoelige locatie. Het gebouwconcept
bestaat uit een glazen gevel ingeklemd
tussen twee platen natuursteen, zwevend
boven het landschap, waardoor een
belvedère wordt gecreëerd.

The design reflects a careful
balance between a luxurious golf
clubhouse with environmental
consciousness and site sensitivity.
The building concept consists of a
belvedere: a glass façade between
two natural stone slabs floating
above the surrounding landscape.

設計手法結合俱樂部需
要的奢華感與對環境意識的
敏感度，概念是設計一個能
把周圍美景盡收眼底的含于
一兩片自然石材上下夾住水
平透明開口，輕輕飄浮在優
美的景觀上。

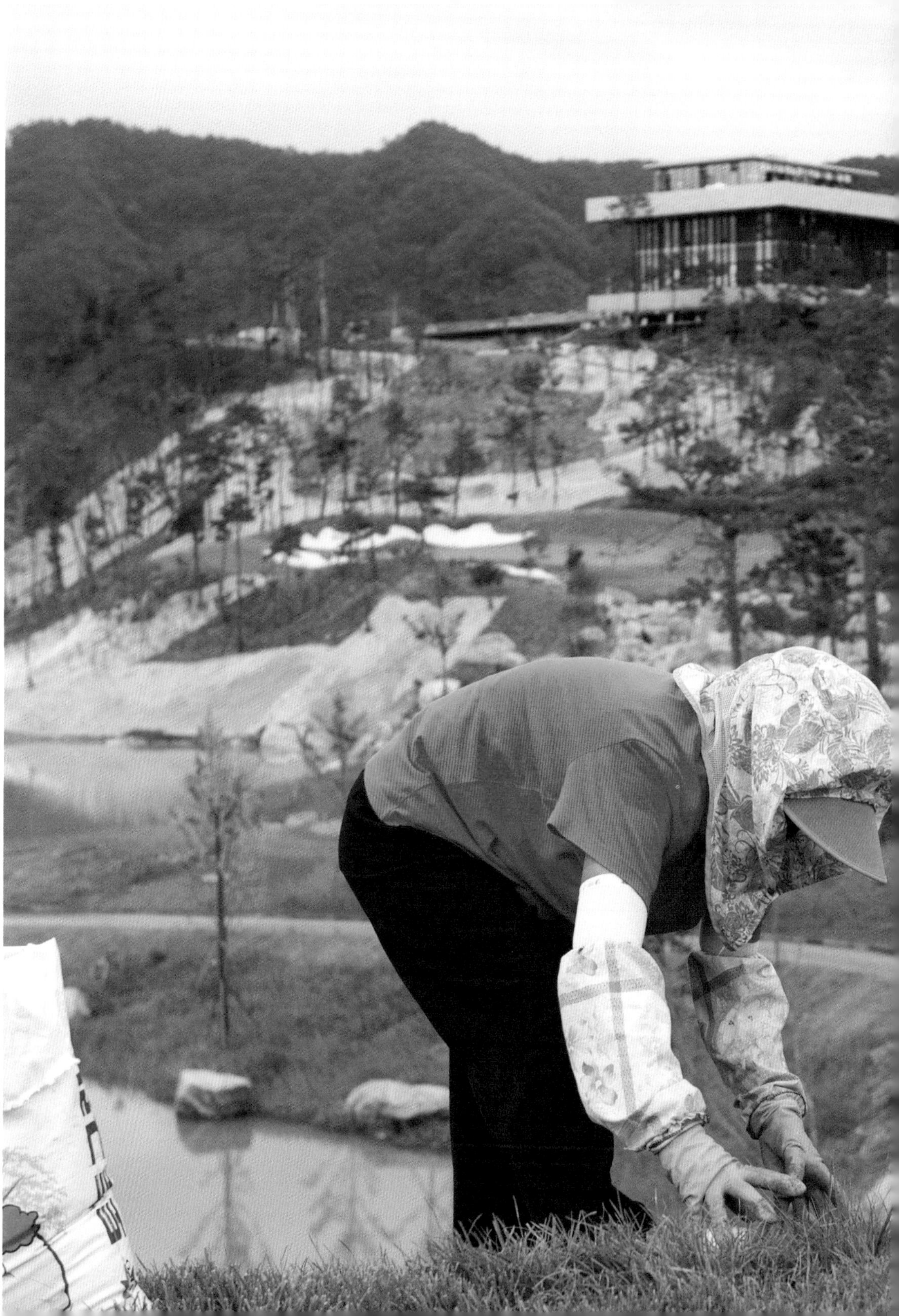

Het clubhuis doet denken
aan een museum waar
leden en bezoekers worden
uitgenodigd te genieten
van cultuur en natuur. Een
plek om te bewonderen, te
genieten en aan terug te
denken. Het interieur met
haar eenvoudige vormen,
natuurlijke materialen, witte
vloeren en plafonds creëert
rust en balans in het gehele
gebouw.

The clubhouse is rather like a
museum, where members and
visitors are invited to celebrate
culture and nature: a place to
admire, to experience and to
remember. The interior with its
simple forms, natural materials,
white floors and ceilings create
balance throughout the building.

因業主將在俱樂部內展示
個人做博物館般設計，這個俱樂部被
結合純白天花與地板，提供平
和的背景文化與自然在此空間
中享受、經驗、與記憶愉悅的感官
賞受。

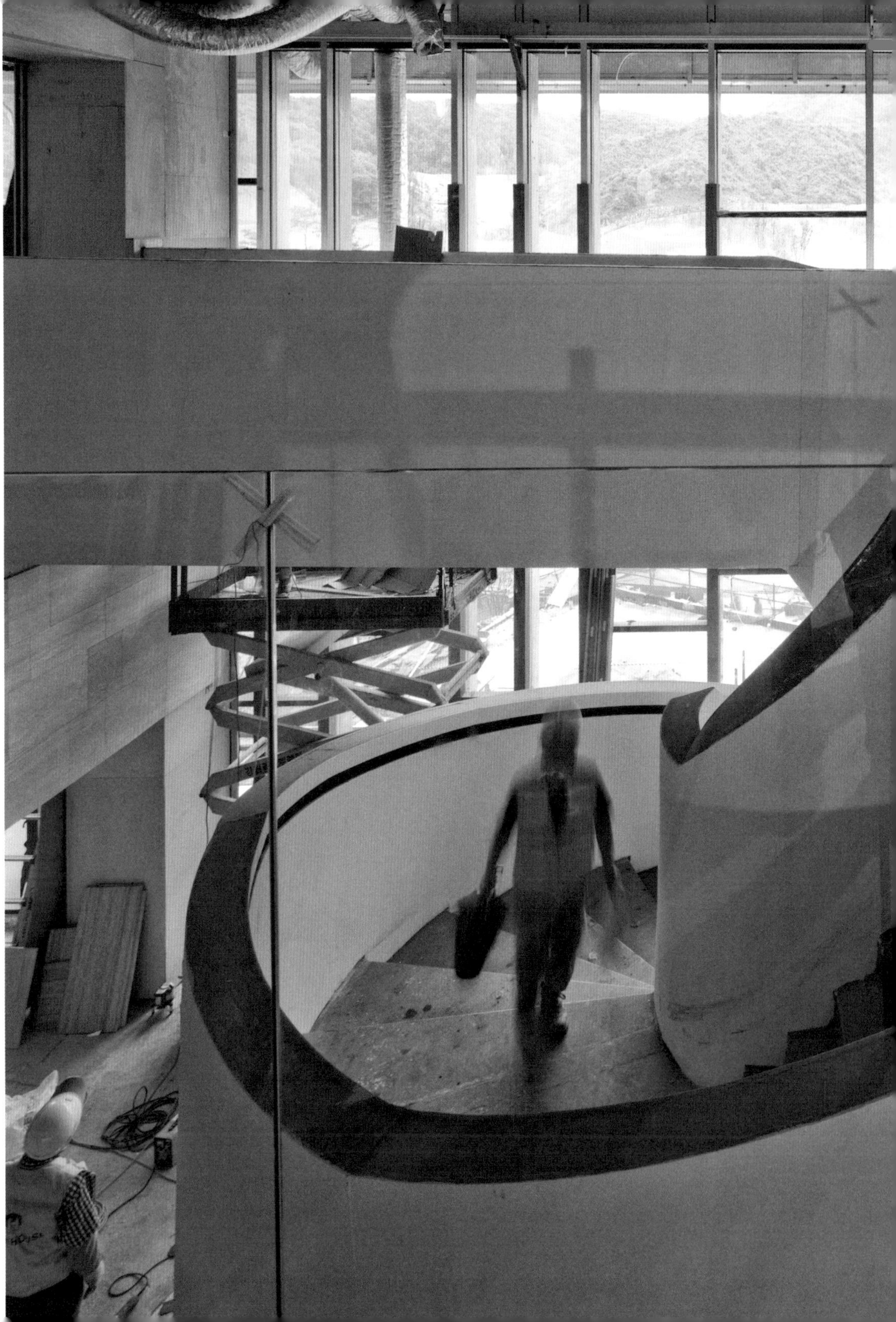

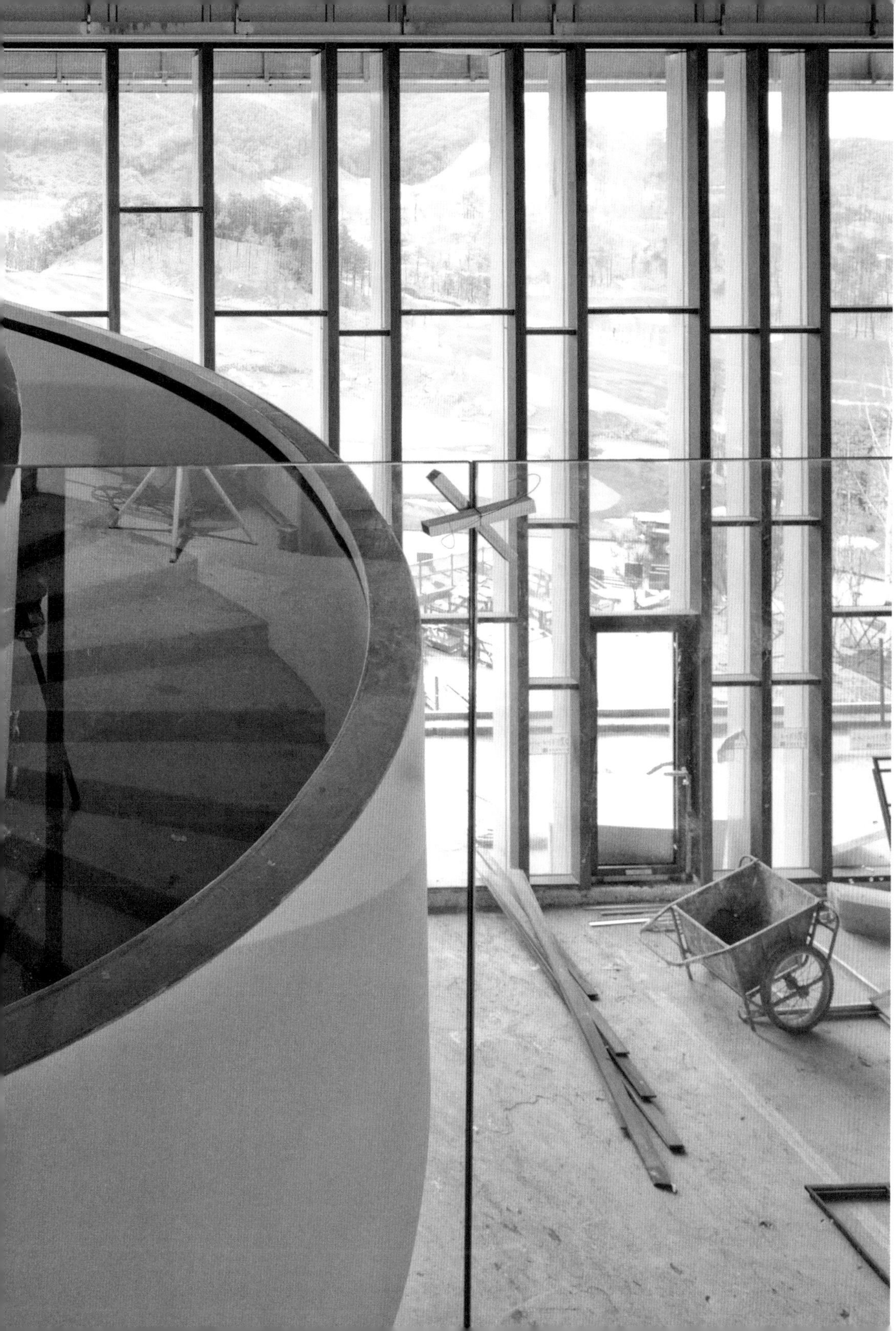

64

Restaurant met in het midden plaats voor een weelderige tuin.

Restaurant with space for a lush garden in its centre.

餐廳中央設計蒼翠繁茂的花園。

三個球場休息
茶藝館分別稱做：
「繭」、「寺
」、「雲」，都是球場中
的視覺焦點，雕塑品
般的設計讓三個都不
相同，這是第一個茶
藝館：「繭」。

The three tea houses
- cocoon, temple and
cloud - are sculptural
objects, which vary
from one another and
serve as visual icons
within the landscape.
This is tea house 1:
the cocoon.

De drie theehuizen
- cocon, tempel en
wolk - zijn sculpturale
objecten en variëren
in vorm en grootte
van elkaar. Ze zijn
als visuele iconen in
het landschap. Dit is
theehuis 1: de cocon.

Dit is theehuis 2: de tempel.

This is tea house 2: the temple.

這是第二個茶藝館：「寺」。

CHUNCHEON 春川 ZUID-KOREA/SOUTH KOREA/南韓 GOLFCLUBHUIS/GOLF CLUBHOUSE/高爾夫球俱樂部

Overleg met opdrachtgever en
local partner over interieur en
uitvoering in een tijdelijk kantoor
in de kelder van het gebouw.

Meeting the client and local partner in
a temporary office in the basement of
the building discussing the interior and
execution of the project.

與業主、當地建築師在俱樂部
地下室的臨時工地辦公室，討論室
內設計與工程進度。

*De hotelkamer
als het digitale
kantoor.*

*The guest room as
digital office.*

飯店房間成
為數位辦公室。

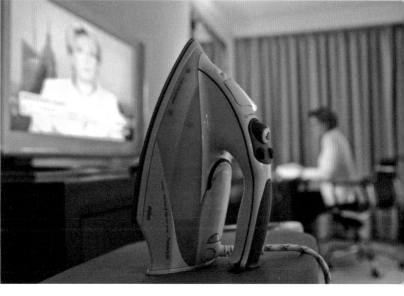

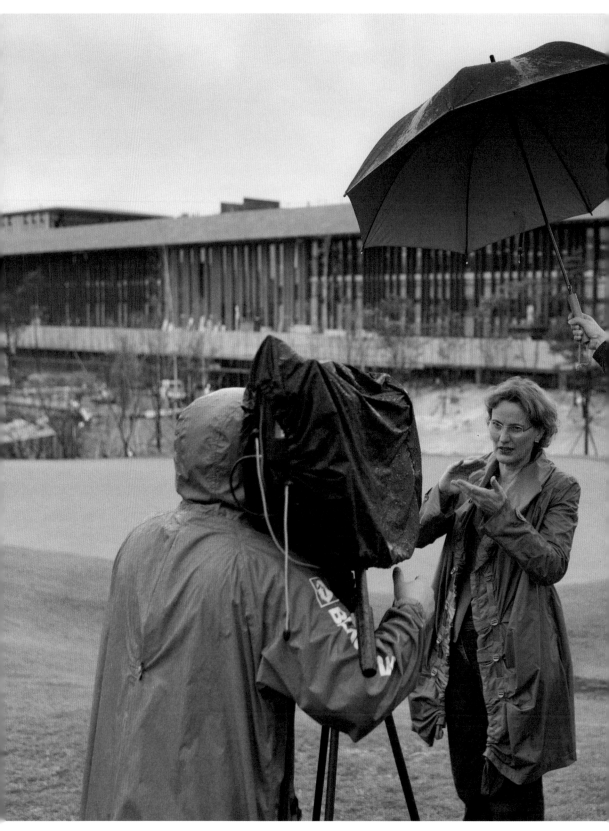

CHUNCHEON 春川 ZUID-KOREA/SOUTH KOREA/南韓 GOLFCLUBHUIS/GOLF CLUBHOUSE/高爾夫球俱樂部

3

TU Delft Library

Bibliotheek Technische
Universiteit Delft, Nederland
(1997)

TU Delft Library,
The Netherlands (1997)

代爾夫特理工大學圖書館，
荷蘭（1997年）

Markant is het minste wat men kan zeggen van de universiteitsbibliotheek. Het grasveld rondom het gebouw is aan één punt, als een velletje papier, opgetild en vormt een dak dat belopen kan worden. De opgetilde grasmat wordt ondersteund door kolommen en de grote hal die zo ontstaat, is voorzien van glazen gevels.

 De helling wordt doorbroken door een lome trap die naar de entree op de bel-etage leidt. Verderop doorpriemt een enorme kegel het veld, waarvan de top uit een open constructie bestaat. De kegel, ruim veertig meter hoog, staat niet alleen symbool voor techniek, maar heeft tevens een functie in de lichtvoorziening: in het dak van de kegel bevindt zich een glazen plaat waardoor het daglicht tot midden in het gebouw kan doordringen.

 De bibliotheek is in het ontwerp van Mecanoo een gebouw dat niet alleen gebouw wil zijn, maar ook landschap.

 Het interieur wordt gekenmerkt door een enorme ruimtelijkheid, met name dankzij de grote, centrale hal. De indrukwekkende ruimte heeft het effect van een kathedraal, imponerend maar ook uitnodigend.

Striking is the least one can say of the university library. The lawn around the building comes to a point, like a lifted sheet of paper and forms a roof on which one can walk. The raised lawn is supported by columns and the main hall created underneath features glass facades.

 The slope is broken by a languid staircase leading to the entrance on the bel-étage. Beyond, a huge cone pierces the lawn, the top of which is open. The cone, more than forty meters high, is not only a symbol of technology, but functions also as a light source: a glass plate has been placed in the roof of the cone which allows daylight to penetrate into the building.

 For Mecanoo, the library is not only building, but also landscape.

 The interior is marked by vast spaciousness, particularly through the large central hall. The impressive space has the effect of a cathedral, impressive but welcoming.

「引人注目」是這個大學圖書館設計無庸置疑的特點。建築上方的草坪，如一張掀起的紙片，成為可以行走的屋頂。這掀起的草坪由柱子支撐，底下的空間再由玻璃帷幕包覆。

草坡被一座大型臺階切開，將人帶向主樓層的入口。再遠處有一巨大圓錐體插入草坪，圓錐體頂端是開放結構。此圓錐體有四十多公尺高，它不僅是科技的象徵，同時也有引入光線的功能，在圓錐體正上方的玻璃天窗，將日光引入整個建築的中央。

這座圖書館對麥肯諾來說，不僅是建築設計，也是景觀設計。

室內空間給人巨大的空間感，這種感覺主要是來自於龐大的中心大廳，這個震撼的空間就像大教堂般，令人印象深刻又易於親近。

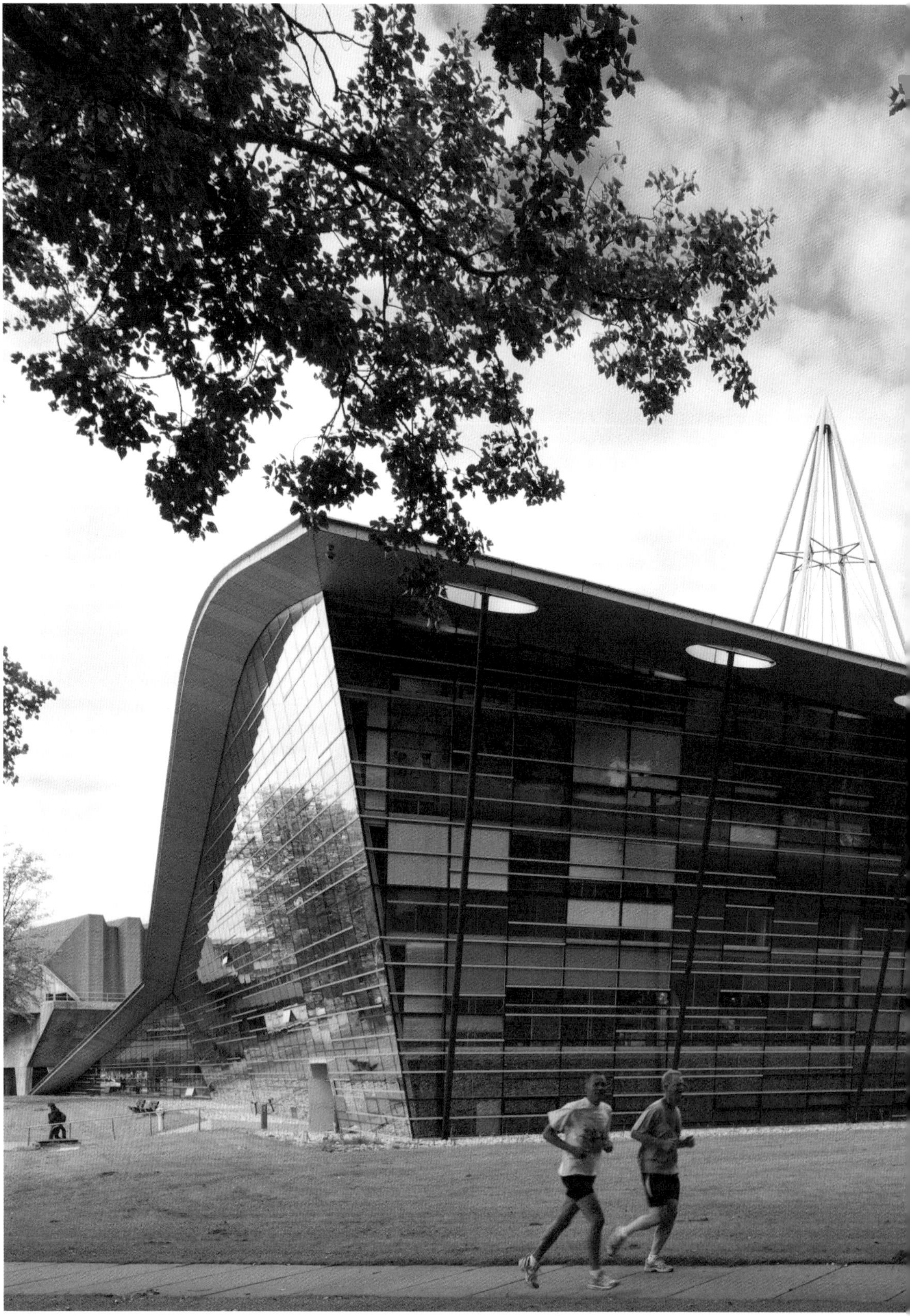

De bibliotheek is een gebouw
dat eigenlijk geen gebouw wil
zijn, maar een landschap.

The library is a building that
does not want to be a building,
but a landscape.

這是固不想成為建
築物，而是是成為地景的
圖書館。

Als een velletje papier is
het landschap aan een kant
opgetild. Een kegel, het
symbool van techniek, prikt
als een push pin landschap en
bibliotheek aan elkaar vast.

The large roof-lawn is tilted up at one
corner like a sheet of paper held at
a single point. A cone, the symbol of
technology, pierces the library and
the landscape, affixing them like a
push pin.

大片的屋頂草皮往一端傾
斜，就像只用一點著地的紙
張，代表科技的圓錐體穿過圖
書館與草皮，如同一顆圖釘般
錨定整個設計。

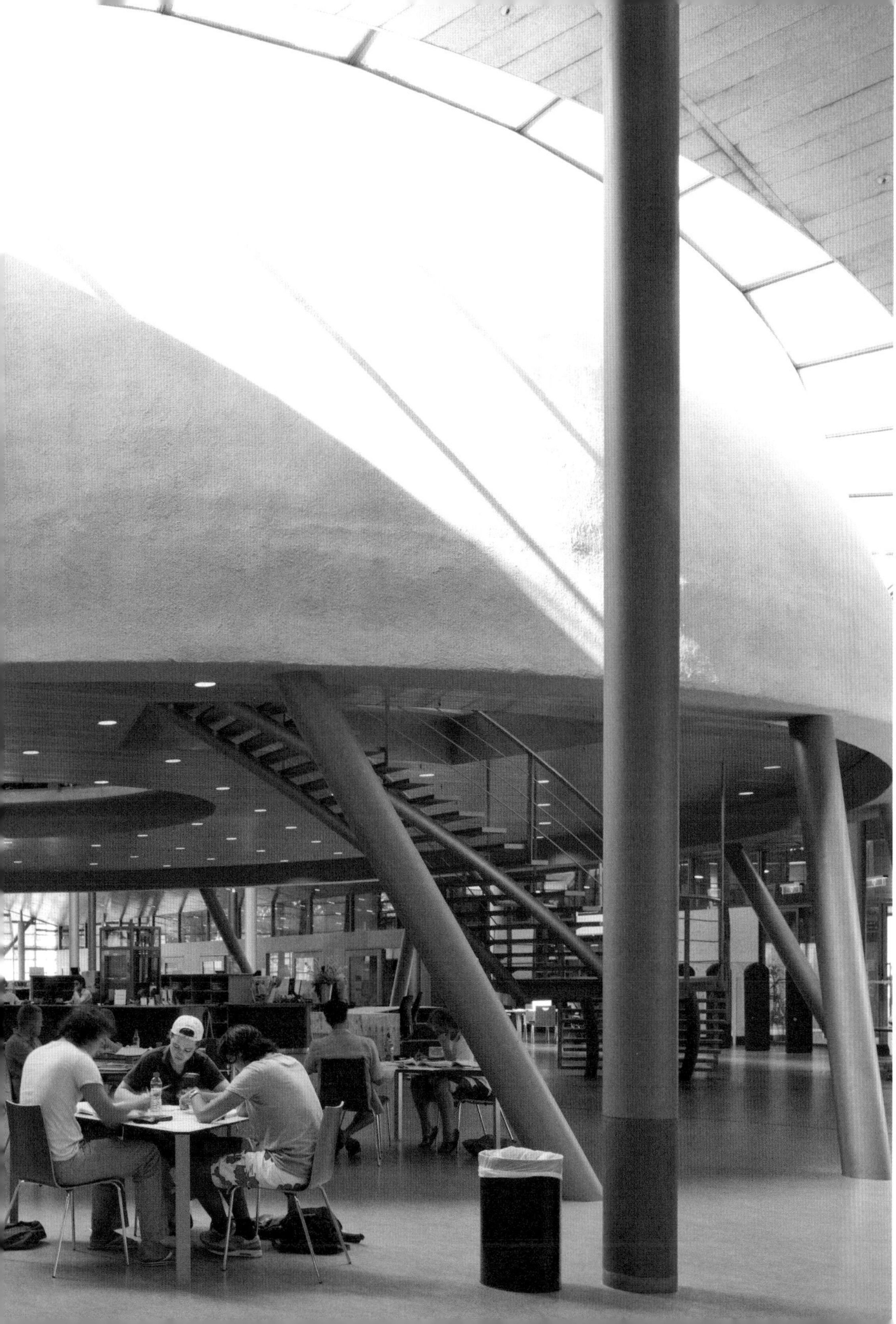

室內懸吊的書架產生震撼
的存在感，深藍色的背景與連
續的書牆，產生劇場佈景般的
戲劇性。

Inside, a suspended bookcase creates a
striking presence. The deep blue background
and the wall-to-wall book case lend the feel
of a theatre set.

Binnen verbluft een hoogoprijzende hangende
boekenkast. De diepblauwe achtergrond
maakt de kast met boeken tot een
wandvullend decor van een theaterstuk.

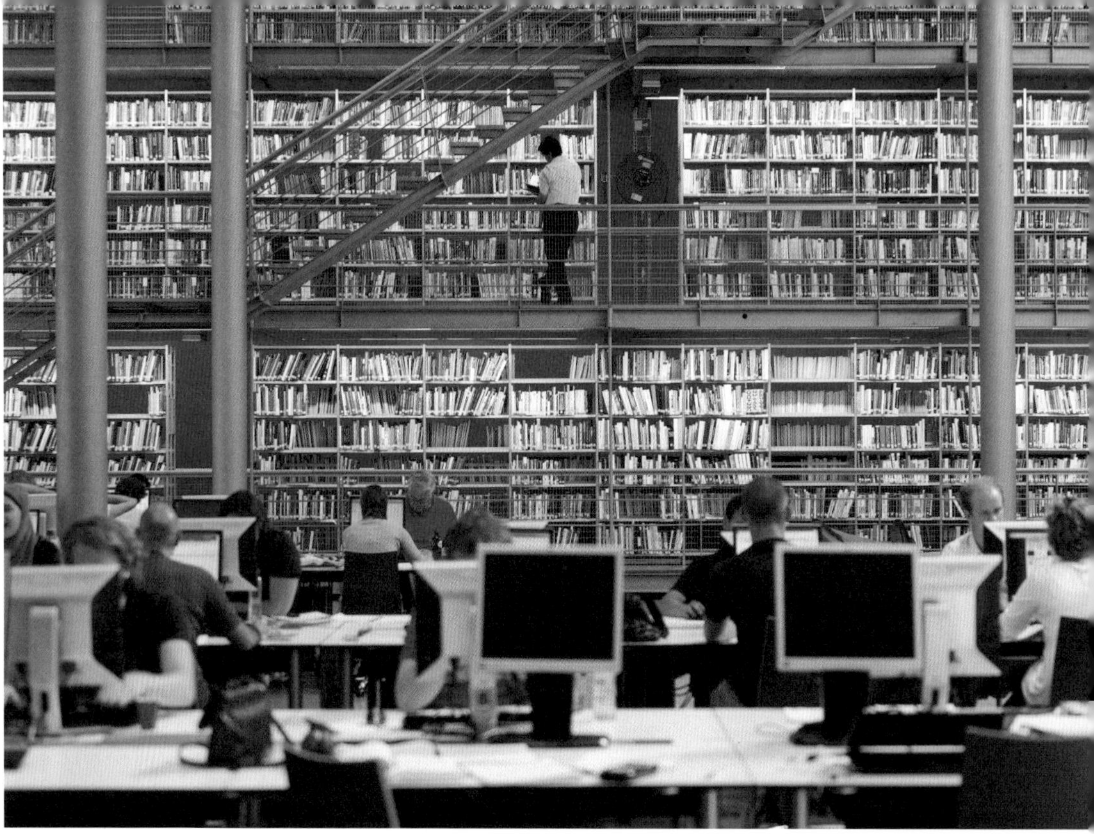

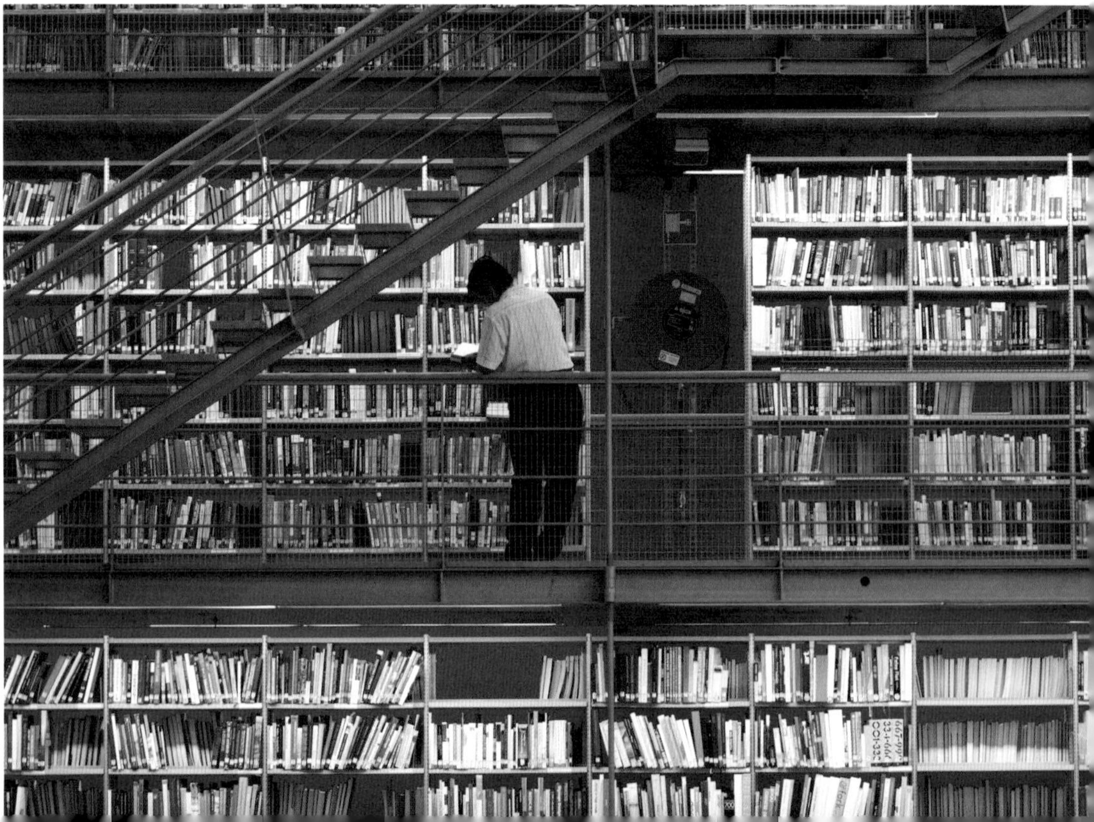

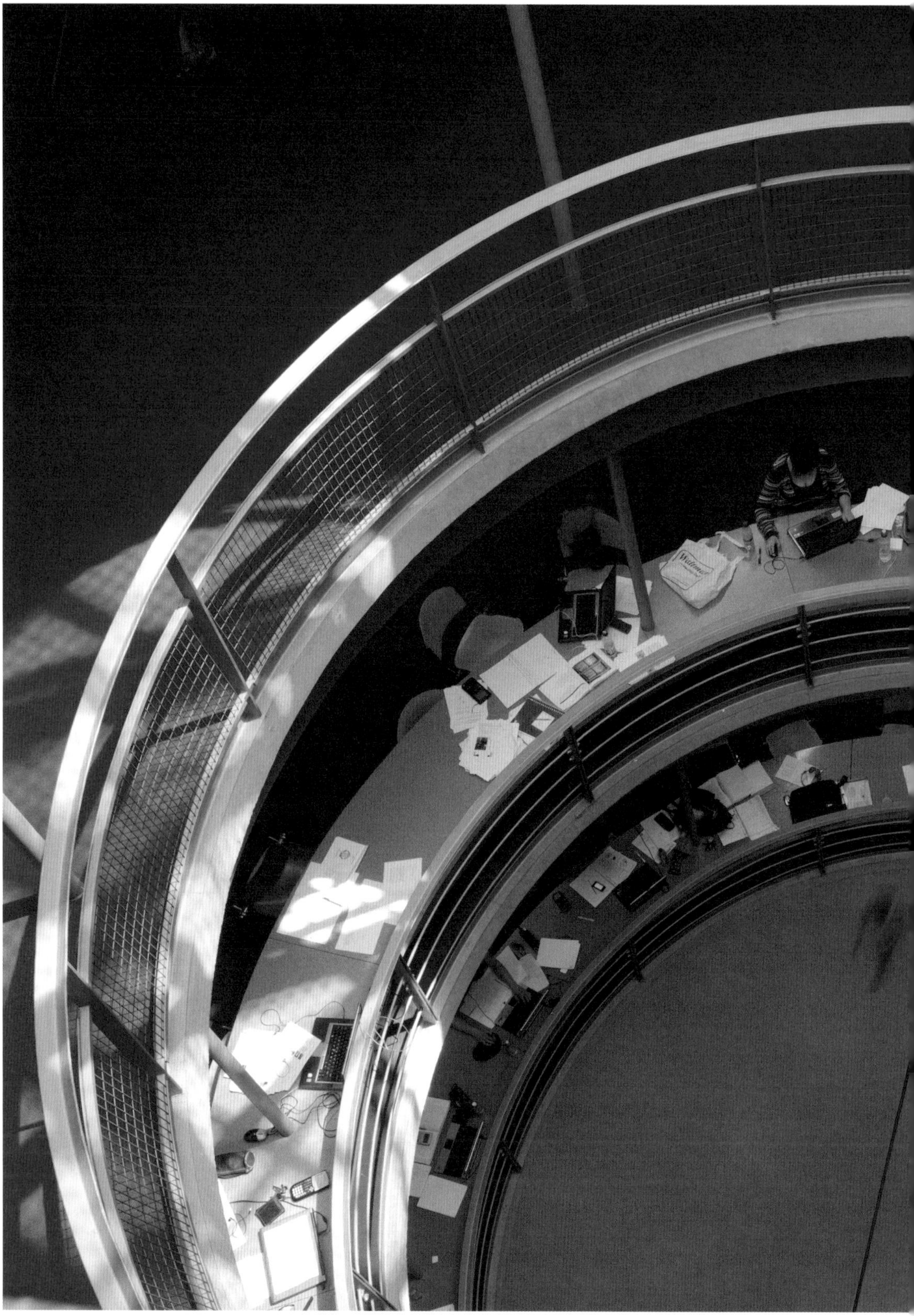

De kegel geeft vorm aan de ronde, introverte leeszalen. Deze hangen aan de punt van de kegel, waardoor de hal een grote kolomvrije ruimte wordt.

The cone shapes the round, introverted reading rooms, which hang from the apex of the cone, providing the hall with a large space free of columns.

圓錐形量體內是圓形的閱覽室，結構懸吊在角錐的頂點，形成無柱的空間。

DELFT 代爾夫特

NEDERLAND/THE NETHERLANDS/荷蘭

BIBLIOTHEEK/LIBRARY/圖書館

Space and light and careful
acoustics are always valuable
features in the design of
a library.

Ruimte en licht en een
rustgevende akoestiek zijn
voor het ontwerpen van een
bibliotheek blijvende waarden.

空間氣氛、光線與聲學
品質都是圖書館的設計重點。

De bibliotheek is een gebouw van glas en gras.

The library is a building of glass and grass.

這是一個玻璃與草構成的建築。

4

Library of Birmingham

**Bibliotheek van Birmingham
geïntegreerd met het REP
Theatre, Verenigd Koninkrijk
(2013 oplevering)**

Library of Birmingham integrated with
the REP Theatre, United Kingdom
(2013 completion)

伯明罕圖書館與REP劇院
伯明罕，英國
（2013年完工）

De 35.000 m² tellende Library of Birmingham is in zijn soort de grootste van Europa.

Centenary Square is het grootste publieke plein van Birmingham en ligt in het hart van de stad. Aan het plein liggen het Baskerville House, een monument ontworpen in 1936 en het beroemde Repertory Theatre (REP), een betonnen gebouw ontworpen in 1964. Het plein mist identiteit en gezelligheid. De komst van de Library of Birmingham naar Centenary Square biedt een unieke kans het plein te transformeren in een levendige openbare ruimte.

Mecanoo heeft de drie aan het plein gelegen gebouwen opgevat als een ensemble: drie palazzo's die de stedelijke ontwikkeling vertellen van drie verschillende periodes. De drukste voetgangersroute van de stad leidt naar Centenary Square. De uitkraging van de bibliotheek vormt een royale luifel die beschutting biedt aan de gemeenschappelijke entree van de bibliotheek en het REP en maakt een groots stadsbalkon mogelijk met prachtig uitzicht op het plein.

De Library of Birmingham is een transparant, glazen gebouw. De delicate, metalen huid in de vorm van cirkels is geïnspireerd op de ambachtelijke traditie van de van oorsprong industriële stad. De acht cirkelvormige ruimtes, de rotunda's, spelen een belangrijke rol in de routing door de bibliotheek. Ze zorgen ook voor daglicht en ventilatie. De rotunda op het dak biedt onderdak aan de Shakespeare Memorial Room ontworpen in 1882.

The 35,000 m² Library of Birmingham is the largest of its kind in Europe.

Centenary Square is the largest public square in Birmingham and is located in the heart of the city. On the square are the Baskerville House, a monument designed in 1936 and the famous Repertory Theatre (REP), a concrete building designed in 1964. The square lacks identity and intimacy. The arrival of the Library of Birmingham to Centenary Square offers a unique opportunity to transform the square into a lively public space.

Mecanoo perceived the three buildings on the square as an ensemble: three palazzos form an urban narrative of important periods in the history of the city. The busiest pedestrian route in the city leads pedestrians into Centenary Square. The cantilever of the library is not only a large canopy that provides shelter at the common entrance of the Library and the REP, but additionally forms a grand city balcony with views of the events on the square.

The Library of Birmingham is a transparent glass building. The delicate, metal skin in the form of circles is inspired by the artisan tradition of this once industrial city. The eight circular spaces in the building, the rotundas, play an important role in the routing through the library. They also provide natural light and ventilation. The rotunda on the roof houses the Shakespeare Memorial Room designed in 1882.

面積三萬五千平方公尺的伯明罕圖書館，是全歐洲同類建築中最大的。

世紀廣場是伯明罕最大的公共廣場，位於市中心，廣場周圍座落著1936年重建的歷史建築Baskerville House，及1964年設計的知名混凝土立面劇院—The Repertory Theatre（REP）。既有的廣場缺乏識別性與獨特氣氛，新的伯明罕圖書館設計將世紀廣場轉型為一個有生氣的公共空間，集娛樂、文化及紀念活動為一體。

麥肯諾將三個座落在廣場的建築看成一個合奏：三段描述不同城市發展時代的樂章。最繁忙的人行徒步街將人們帶到世紀廣場，圖書館懸挑的量體不僅為圖書館及劇院的公共入口提供遮蔽，並提供大型的城市陽臺，是鳥瞰整個廣場活動的最佳地點。

伯明罕圖書館是一棟透明玻璃建築，立面上細緻的金屬結構，是來自於這個工業城市傳統工藝的靈感。室內的電梯與電扶梯動態地配置，以連接八個圓筒形空間，這八個空間是圖書館的垂直街道，也是引進陽光與通風的空間。最頂上的圓筒空間展示著1882年設計的莎士比亞紀念室，裡頭是維多利亞風格的閱覽空間，所有木頭材料都是從第一棟伯明罕中央圖書館保留至今。

De drukste voetgangersroute van de stad, 'the red line', loopt via New Street naar Centenary Square, de locatie van de nieuwe bibliotheek en gaat door naar de verderop gelegen oude bibliotheek.

The busiest pedestrian route of the city, 'the red line', runs via New Street to Centenary Square, the location of the new library, and continues on toward the former library.

城市中最繁忙的人行徒步路徑「紅線」，經過New Street到新圖書館的位置Centenary Square，再到舊圖書館。

Birmingham is van
oorsprong een
industriële stad.

Birmingham is
originally an
industrial city.

伯明罕原本
是一個工業城
市，擁有豐富的
歷史背景。

Vanaf de luchthaven bereik je met de
skyline en de trein het centrum van de stad.

From the airport you reach the city
centre by skyline and train.

由機場可搭乘捷運或火車到城
市內。

The Rotunda building has been one of Birmingham's icons for many years. It was completed in 1965 as an 81-meter high cylindrical office building, and in popular vernacular, it is known as the pill box. For many years, its architect, James Roberts, lived on the top floor in a beautiful penthouse.

De Rotunda is al jaren één van de iconen van Birmingham en werd in 1965 gerealiseerd als een 81 meter hoog cilindrisch kantoorgebouw, in de volksmond de pillendoos. De architect James Roberts woonde zelfjarenlang op de bovenste verdieping in een prachtig penthouse.

照片中的圓柱建築是伯明罕市多年來的地標建築之一，81公尺高的辦公大樓在1965年完工，民眾給它的綽號叫做「藥罐」，建築師James Roberts多年來都住在頂層漂亮的閣樓中。

擁有超過百萬居民的伯明罕是英國最大的城市之一，人口特點是多元文化與年輕。

With over one million inhabitants, Birmingham is one of the largest cities in England. It is a multicultural city with a very young population.

Birmingham is met ruim een miljoen inwoners de op één na grootste stad van Engeland. Het is een zeer multiculturele stad met een zeer jonge bevolking.

118

De bouwplaats wordt afgeschermd
door houten wanden waarop het
ontwerp door Francine wordt
uitgelegd in schetsen en tekeningen.

The construction site is screened off
by wooden partitions on which the
design is explained by Francine in
sketches and drawings.

木製工地圍籬被作為建築師法蘭
馨介紹建築的媒介，手繪與電腦圖面
都是說明的一部分。

In Mecanoo's stedenbouwkundig plan van Centenary Square zijn het Repertory Theatre (REP), de bibliotheek en Baskerville House opgevat als een ensemble: drie palazzo's die de stedelijke ontwikkeling vertellen van drie verschillende periodes. Het REP wordt gerenoveerd en geïntegreerd met de bibliotheek.

In Mecanoo's urban plan of Centenary Square, the Repertory Theatre (REP), library and Baskerville House have been considered as an ensemble: three palazzos that form an urban narrative of three different periods. The REP is being renovated and integrated with the library.

在麥肯諾的Centenary Square都市設計提案中，the Repertory Theatre（REP）、圖書館、Baskerville House三者被看成三段描述不同城市發展時代的樂章，組成一段新圖書館。REP將翻新並成部份與新圖書館整合。

BIRMINGHAM 伯明罕

VERENICD KONINKRIJK/UNITED KINGDOM/英國

BIBLIOTHEEK/LIBRARY/圖書館

Op het dak van de bibliotheek komt de Shakespeare Memorial Room ontworpen in 1882. Deze met hout beklede Victoriaanse leeszaal is afkomstig uit de eerste Centrale Bibliotheek van Birmingham.

The library's rooftop will house the Shakespeare Memorial Room, designed in 1882. This Victorian reading room is lined with wood from the first Birmingham Central Library.

圖書館屋頂展示著1882年設計的莎士比亞紀念室，裡頭是維多利亞風格的閱覽空間，所有木頭材料都是從第一棟伯明罕中央圖書館保留至今。

BIRMINGHAM 伯明罕　VERENICD KONINKRIJK/UNITED KINGDOM/英國　BIBLIOTHEEK/LIBRARY/圖書館

De Library of Birmingham
is een transparant, glazen
gebouw. Haar delicate,
metalen huid in de vorm
van cirkels is geïnspireerd
op de ambachtelijke
traditie van de stad.

The Library of Birmingham
is a transparent glass
building. Its delicate filigree
skin is inspired by the
artisan tradition of this once
industrial city.

伯明翰圖書館是一座透明
玻璃建築，如同金屬絲藝品的
立面設計，是由造個工業城市
的工藝傳統而來。

BIRMINGHAM 伯明罕　VERENIGD KONINKRIJK/UNITED KINGDOM/英國　BIBLIOTHEEK/LIBRARY/圖書館

132

Een sequentie van rotunda's speelt niet alleen een belangrijke rol in de routing door de bibliotheek, maar zorgen tevens voor daglichttoetreding en ventilatie.

A sequence of rotundas plays an important role not only in the routing through the library but also in providing natural light and ventilation.

一連串的圓筒形空間形成圖書館的重要動線，也提供引進陽光與通風的機能。

134

interview
專訪

'Intuition takes me there
Intuition takes me everywhere'
John Lennon

'Een onvergetelijk gebouw, dat is wat ik wil maken'

Prille lente en zondagochtend. Onderweg naar het huis van haar jeugd, in het zuiden van het land. In de auto gaat het over de snelweg en de esthetische ergernissen. De geluidswallen. In haar ogen zijn ze ofwel goor en armoedig dan wel door kleur of materiaal te nadrukkelijk aanwezig. Voor beide varianten geldt: dat kan beter, mooier.

'Geluidswallen horen aards te zijn', zegt ze. 'Dienend aan het landschap, niet architectonisch.' Groene wallen of muren van cortensstaal, dat volstaat. 'Je kunt zien dat men enorm zijn best heeft gedaan. Wat zonde van al die energie, denk ik dan.'

Ze is er vier, vijf jaar intensief mee bezig geweest. Ze doopte het 'mobiliteitsesthetiek'. Het was een nieuw woord dat het ver zou schoppen. Het begrip kwam zelfs in het regeerakkoord terecht van een nieuw kabinet. Ze zou hoogleraar worden in Zwitserland en Nederland, met als leeropdracht die mobiliteitsesthetiek.

Ze zat destijds in de VROM-raad, adviesorgaan voor de regering op ruimtelijk gebied. Ze vroeg zich af wat ze er te zoeken had, zo'n raad met bestuurlijk ingestelde mannen op leeftijd. De voorzitter had haar overgehaald. 'Francine', had hij gezegd, 'als jij voor de visie zorgt, doe ik het bestuurlijke.'

Het was de tijd waarin het vooruitstrevend werd gevonden stedelijke ontwikkeling langs de snelweg te plannen. Dan kon het landschap daarachter open worden gehouden.

Ze was er niet enthousiast over. Wat zij dan wilde? Esthetiek, had ze gezegd. Voor de mobiele mens. Het was een antwoord dat in zijn eenvoud knap gecompliceerd was. Ze zegt: 'Ik kan dingen heel mooi vinden, vanuit de auto.'

Hoe vaak rijdt ze niet per auto van Rotterdam naar Delft, 20 kilometer tussen woonhuis en kantoor. Mecanoo, het architectenbureau waarvan ze in 1984 medeoprichter was, is haar liefde. Ze begonnen met huizen en scholen, ook wel wijken. Inmiddels is Mecanoo internationaal doorgebroken, werd Houben enig eigenaar en heeft het bureau vier jonge partners. Het oeuvre van Mecanoo is uitgegroeid tot een ongekende breedte: behalve huizen, kantoren en scholen ook wolkenkrabbers, bibliotheken, parken, pleinen, snelwegen, conferentiecentra, theaters, een concertzaal en zelfs een kapel.

Het werk is te vinden in Rotterdam en tal van andere plaatsen in Nederland. Maar ook in Taiwan, Korea, Spanje, Engeland. Ze was gasthoogleraar aan Harvard, ze geeft lezingen en colleges *all over the world*: São Paulo, Sydney, Manilla, Seattle om maar een paar plaatsen te noemen.

Ofschoon heel veel in het vliegtuig en onderweg, mag je haar niet tot een jetset rekenen. Een vrouwelijke vrouw is ze wel. Altijd in kleding die van een ontwikkelde smaak getuigt, de lipstick is nooit buiten handbereik. Wat ze bovenal uitstraalt, is gemak van bewegen, of het nu onder kantoorgenoten is dan wel in het gezelschap van de koning van Spanje.

In de auto tussen Rotterdam en Delft. Het uitzicht wordt beheerst door verkeersborden die boven de weg hangen en die aangeven dat de maximumsnelheid hier 80 is. Zo'n slinger van borden, dat patroon van herhaling – het spreekt haar aan, het wekt een indruk van rust en ordening. Ze fotografeert terwijl ze stuurt. Ze fotografeert alles wat los en vast zit, zonder ophouden. Zie het als haar aantekeningen. Ze heeft altijd een camera bij zich, altijd met een groothoeklens. Ze heeft een hele serie fototoestellen. Eigenlijk zou ze standaard meer dan één camera bij zich

'Geluidswallen horen aards te zijn', zegt ze. 'Dienend aan het landschap, niet architectonisch.'

INTERVIEW NEDERLANDS JAN TROMP

willen hebben. Het wordt tijd voor een grotere Chaneltas, zegt ze met een glimlach. 'Mijn camera is mijn schetsboek.'

Zondagochtend en Heerlen is nabij. In haar paspoort staat dat ze in Sittard is geboren, in 1955. Haar jeugd ligt vijftien kilometer zuidelijker, in het puntje van de provincie Limburg. Daar is ze gevormd. Van Sittard herinnert ze zich tante Jannie. Ze was nog heel jong. In Heerlen loopt ze vijftig jaar na dato feilloos van de Zandweg naar het Bekkerveld, van huis naar school en kerk.

Heerlen is een lelijke stad geworden, na het sluiten van de mijnen. De armoede heeft zich erin vastgebeten, als een teek.

Haar Heerlen was mooi en opgewekt. Zo voelde het. Haar ouders - vader jurist bij de Staatsmijnen, moeder huisvrouw en spil van het gezin - hebben hier hun huis laten bouwen. Het is een typisch jaren vijftig pand. Ze roemt het optimisme van die tijd. De Tweede Wereldoorlog was over- leefd, het verleden overwonnen, wat voor ons lag was een nieuwe tijd.

Het huis aan de Zandweg dateert van 1959. Het is exemplarisch voor de tijdgeest: vrijstaand, met een gevel van natuursteen, wit gekeimde baksteen en hout. Stalen kozijnen. De blauwstalen voordeur was met zijn zes ronde gaten een pronkstuk van modernisme. Je kunt nog steeds goed zien waarom het voor een kind een avontuurlijk huis moet zijn geweest, al hebben de huidige bewoners het saaier gemaakt. Ze vertelt over de felle kleuren die het interieur kenmerkten, geel en blauw, rood en zwart.

Ze zegt: 'Ik geloof dat mensen rondom hun vijfde levensjaar hun zintuigen ontwikkelen. Daarom is het zo belangrijk voor kinderen op te groeien in een omgeving die de zintuigen prikkelt.'

Bij een andere gelegenheid vertelt ze over haar bewondering voor Charles en Ray Eames, de Amerikaanse ontwerpers die vorm en emotie, rationaliteit en sensualiteit op een welhaast perfecte manier wisten te combineren. Ze bezocht hen in het huis dat de Eames' na de oorlog bouwden in de heuvels van Santa Monica, bij Los Angeles. Het was alsof zij er zichzelf aantrof, haar diepste overtuiging van wat architectuur moet zijn. Natuurlijk gaat het vak over techniek. Maar het is ook en vooral een zaak van voelen, proeven, zien, van ondergaan.

In januari 2004 hield ze als hoogleraar de jaarrede, de Dies Natalis, aan de Technische Universiteit van Delft. Het is de universiteit waar ze is opgeleid. De eerste zin van die rede luidde: 'Je kunt alles proberen te omschrijven, maar veel heeft gewoon met intuïtie te maken.'

Weer een andere keer begint ze over de seizoenen en merkt ze op hoe fijn het is dat Nederland vier jaargetijden kent die echt van elkaar verschillen – je voelt het verschil op je huid. 'Dat iemand zestien lentes is en dat je dat zo kunt zeggen. Besef hoe mooi dat is.'

Als jonge moeder woonde ze in een flat op elf hoog, met over een breedte van negen meter een luisterrijk uitzicht. 'Die heerlijke rijkdom om zon, regen en storm over het Hollandse landschap te zien trekken, die is onvergetelijk.'

Het zintuiglijke is leidraad in haar werk. Zelf gebruikt ze vaak het woord *tactiel*. Volgens het woordenboek is een tactiele persoon een handopleg-ger, een magnetiseur.

Ze werkt ondogmatisch, of beter anti-dogmatisch; haar stijl is niet voorgeprogrammeerd, maar ze probeert zichzelf elke keer opnieuw uit te vinden. Haar architectuur is aards, in de zin dat haar ontwerpen altijd verbonden zijn met de natuurlijke omgeving en met de cultuur van stad of buurt.

Van Zandweg naar Bekkerveld voeren de straten in Heerlen omlaag, van school naar huis gaat het heuvelopwaarts. Het is een en al glooiing, golven zijn het, krullen die omlaag en omhoog buigen. Het kind Houben was verzot op de bochten en rondingen, op de holle wegen in heuvel-achtig landschap die de dorpen van Limburg met elkaar verbonden.

Met fonkelende ogen vertelt ze over de gewoonte van haar moeder om op de top

> 'Ik geloof dat mensen rondom hun vijfde levensjaar hun zintuigen ontwikkelen. Daarom is het zo belangrijk voor kinderen op te groeien in een omgeving die de zintuigen prikkelt.'

INTERVIEW   NEDERLANDS   JAN TROMP

van een heuvel de auto tot stilstand te brengen. De motor ging af.
Dan ging het op zwaartekracht omlaag, steeds sneller. Tot de weg
weer omhoog kroop tegen de volgende heuvel en ook het opduwen
door de kinderen op de achterbank niet meer hielp en het vehikel
tergend langzaam tot stilstand kwam: *Dutch mountains*.

Architectuur is een verslingering en een baan voor dag en nacht.
Wie daar niet tegen kan, moet voor iets anders kiezen. Want voor
het geld hoef je het zeker niet te doen.

En passant was die kwestie al eens ter sprake gekomen. Recht-
streeks daarnaar gevraagd zegt ze: 'Het is een slecht betaalde
branche. De algemene indruk is misschien een andere. Architecten
hebben meestal een grote auto of een indrukwekkend huis. Dat
komt doordat ze van mooie dingen houden. Door de top zal goed
worden verdiend. Maar voor de meesten geldt: heel hard werken en
weinig verdienen.'

Voor een vrouwelijke architect komt daar nog een moeilijkheid
bij. Die ligt niet in het vak, maar in de moederrol die een vrouw in
Nederland nog altijd geacht wordt te vervullen. Koken, kinderen
opvoeden, boodschappen doen – dat palet.

Met aanstekelijke opwinding vertelt ze over Bangkok – ze noemt
maar een plaats. Daar kijken ze je vol ongeloof aan als je hun vertelt
over je dubbele last. In zo'n stad als Bangkok hebben mensen met
een drukke baan tenminste een auto met chauffeur, ze hebben thuis
personeel rondlopen, ze hebben van allerlei gemak dat in Nederland
ongebruikelijk wordt gevonden.

Berustend: 'Enfin, het zijn van die kleine *eyeopeners* die je ervaart
als je veel over de wereld reist.'

Ze is door ervaring wijzer en zakelijker geworden, in de loop der
jaren. Dat wil zeggen: zij zelf eigenlijk niet. Hoe doelgericht ze ook
overkomt, voor het financiële heeft ze altijd een zekere mate van
onverschilligheid behouden. Maar ze heeft ervoor gezorgd dat ze
mensen om zich heen heeft die het zakelijke aspect bewaken.

Het resultaat is dat ze nu goed kan leven van haar werk. De eerste
twintig jaar van haar carrière was dat anders. Al mijmerend komt
ze uit bij een Engelse architecte die ze redelijk goed kent, een
vakgenote van goede naam en faam. Die had een opdracht gekregen

voor de bouw van een hotel in Duitsland. Maar de opdrachtgever betaalde de laatste termijnen niet, de architecte die net een kind had gekregen, moest zien haar geld binnen te halen via de rechter. Intussen kon ze niet meer rondkomen. Ze zegt: 'Heel herkenbaar allemaal.'

Ze was een keer in Moskou, sprak er een Nederlander die haar vertelde dat Russische architecten in hun land juist tot een elite behoren. Toen realiseerde ze zich hoe anders zij als architect is grootgebracht. 'Ik ben daarin naïef', zegt ze zonder schroom.

En vervolgens: 'Wij waren nooit met geld bezig, dat ging volkomen langs ons heen. Het paste niet in de traditie van de Technische Universiteit Delft, maar ook niet in de opdracht die we voor onszelf zagen en voor ons bureau Mecanoo. Het ging in de jaren '80 om het belang van de sociale woningbouw, om projecten die de gemeenschap ten goede kwamen. Dat was je inzet.

Ik gaf laatst een lezing in Manilla, op de Filippijnen, ik zei tegen de studenten: "Luister goed, ons vak is niet alleen bedoeld voor een elite." Het geeft een shock te ervaren dat zo'n verhaal helemaal niet aankomt.

Wij hebben in Nederland een traditie van meer dan honderd jaar, via de corporaties, via overheidsplanning, om de huisvesting van het volk belangrijk te vinden. In de rest van de wereld snapt men die boodschap en de ontwikkeling van de Nederlandse architectuur daarom niet.

In 90 procent van de wereld is de woningbouw nog het best te vergelijken met wat Europa deed na de Tweede Wereldoorlog: productie maken, aantallen realiseren. Het komt aan op grootschaligheid, niet op leefbaarheid. Heel kleine woningen van veertig tot zestig vierkante meter in massaproductie. Flatgebouwen stapelen.'

Ze kan lang praten over 'die grauwe, inhumane bouw'. Het is een onderwerp dat haar raakt in de ziel. Het stoort haar mateloos, die belangenverstrengeling in veel landen tussen politici, ambtenaren en aannemers.

Strijdvaardig: 'Wij vonden als jonge architecten dat het anders moest, dat je niet zomaar flatgebouwen en woningen in fantasieloze rijen moest produceren. Wat wij probeerden was nieuwe voorbeelden te stellen.'

Jawel, ze zijn succesvol geweest. Het is gelukt een omslag in de volkshuisvesting te bewerkstelligen. Maar niet alleen op eigen kracht. Wat enorm geholpen heeft was dat opdrachtgevers – krach-

'Wij waren nooit met geld bezig, dat ging volkomen langs ons heen. Het paste niet in de traditie van de Technische Universiteit Delft, maar ook niet in de opdracht die we voor onszelf zagen en voor ons bureau Mecanoo.'

tige wethouders en enkele directeuren van woningcorporaties – ook de noodzaak zagen van een kwalitatief sterke volkshuisvesting.

Ze zegt: 'Je kunt als architect visionair zijn en voorbeelden willen stellen, maar zonder meedenkende opdrachtgever kom je nergens.'

✳

We zijn in Lerida, Lleida op z'n Catelaans, na Barcelona de tweede stad van Catalonië. Ze bouwde er een groot congrescentrum en theater, een indrukwekkend gebouw. Aards. Het kreeg de kleuren, dat gelige oranje, van de Spaanse aarde. De zandstenen die ze gebruikte, hebben dat ook. In het interieur heeft ze tot in details het fruit uit deze landbouwstreek verwerkt, op een eigen manier, anders zou het een cliché zijn.

Menigeen op het bureau was tegen geweest. Ze vond dat ze moest doorzetten. Dit is wat ze nu eenmaal voor ogen had. Ze geeft vaak en hoog op

van de medewerkers. 'In al mijn vuur zijn zij mijn aarde, de vaste grond.'

Ze is trots op de gemeenschap die ze vormen met elkaar. En toch: 'Er is wel degelijk één kapitein, hoor. Ontwerpen is geen democratisch proces. Maar als ze betere ideeën hebben volg ik die.

Architectuur is een heel ingewikkeld beroep. Je moet zo veel weten, zo verschrikkelijk veel weten... Het beste werk maak je pas na je vijftigste.'

Lleida wordt gedomineerd door de vijftiende-eeuwse kathedraal Seu Vella, op de top van een heuvel. Nu bouwde zij als contrapunt haar cultureel centrum, aan de aarde ontsproten. 'Het zijn twee monumenten van de stad', zegt ze. 'Ze kijken naar elkaar.'

Het is een even opwindende als gewaagde gedachte, dat beseft ze als eerste. 'Ik ben altijd als de dood dat het niet goed wordt. Dadelijk vindt iedereen in Lleida het lelijk.' Lichte huivering, maar ook: 'Nee, het is geen onzekerheid. Ik ben heel kritisch over mijn werk. Het is de verantwoordelijkheid die ik voel. Die gaat bij mij verder dan bij anderen, denk ik vaak. Een onvergetelijk gebouw, dat is wat ik wil maken. Onvergetelijke collectieve ruimtes.'

Die complexe en intense verhouding tot het werk heeft ook een weemoedige kant, zo blijkt: 'Stel je voor, je werkt vijf jaar aan een gebouw. Vijf jaar trek je op met allerlei partijen, opdrachtgever, aannemer, onderaanne-

'Architectuur
is een heel
ingewikkeld
beroep. Je moet
zo veel weten, zo
verschrikkelijk veel
weten... Het beste
werk maak je pas
na je vijftigste.'

'Ik ben altijd
verdrietig aan het
eind, als ik een
gebouw overhandig
aan de mensen
die er gebruik van
maken. Vergelijk
het met kinderen
die je opvoedt en
onvermijdelijk hun
eigen weg gaan. Ik
denk dan: ik hoop
dat ze er goed voor
zorgen.'

mers, je *local partner*, vijf jaar heb je het met elkaar volgehouden, als het goed is heb je samen iets moois gemaakt. Daarna scheiden de wegen zich, iedereen gaat weer wat anders doen.

Ik ben altijd verdrietig aan het eind, als ik een gebouw overhandig aan de mensen die er gebruik van maken. Vergelijk het met kinderen die je opvoedt en onvermijdelijk hun eigen weg gaan. Ik denk dan: ik hoop dat ze er goed voor zorgen.'

✳

Wat is nou de reden waarom je voor dit vak koos?
'De verbeelding. Het is het verlangen om dingen te maken die er nog niet zijn en die bijdragen aan de kwaliteit van het leven. Dat je denkt dat je ontwerp goed is en dat je iedereen weet te overtuigen – dat is een fascinerend proces. Jij zegt: zo moet het. En ze doen het nog ook!'

Heb je nog altijd het idee dat je een maatschappelijke verantwoordelijkheid hebt?
'Ja, dat heb ik zeker, ook al klinkt het misschien wat ouderwets. Ik ben opgeleid in de jaren zeventig, ik heb me ingezet voor sociale woningbouw. Als je nu naar het onderwijs kijkt en naar de tijdschriften over architectuur gaat het in sterke mate over star architecture. Over architectuur van de meest vreemde vormen, voor de hoogste budgetten. The sky is the limit.

De jonge generatie moet weer terug naar de basis, vind ik. Dat is ook een financiële kwestie. De tijd van het grote geld is voorbij en men moet zich in Europa afvragen hoe om te gaan met bijvoorbeeld bestaande bouw, met kleinere projecten.'

Zoals je het nu formuleert komt die sociale bewogenheid niet voort uit innerlijke overtuiging, maar is het vooral een financiele en economische kwestie.
'Ja, misschien is dat zo. Ik weet dat eigenlijk niet. Kijk, er wordt tegen mij gezegd: Francine kan mooi praten over architectuur in dienst van de maatschappij, maar zelf zet ze monumentale gebouwen neer. Maar het zijn altijd publieke gebouwen, gebouwen voor de gemeenschap. Ik probeer altijd iets te maken dat mensen in een stad of regio verheft of verder brengt.'

Ik zeg graag van mijn werk: het is visionair en dienstbaar. Dienstbaar niet in de zin van onderdanig, gedienstig. Ik maak gebouwen voor de gebruikers, voor de bevolking. Dat vind ik het mooie van dit beroep.

Dat onderscheidt een architect van de kunstenaar. Architectuur is geen autonome kunst. Ik vind wel dat je authentiek moet zijn als architect. Maar een kunstenaar werkt voor zichzelf, een architect voor een publiek.'

Wat is visionair?

'Visionair is het verbeeldende. Het is op de toekomst gericht zijn, op een andere manier kijken en met nieuwe technieken willen werken.'

Gebouwen maken voor het brede publiek heeft iets behoudends. De smaak van het publiek is niet op vernieuwing uit.

'Ik ben daar niet zo negatief over. Als je uitlegt waarmee je bezig bent, als je ze meeneemt zijn mensen zeer wel bereid je te volgen, ook als het om gebouwen gaat die ze nog niet kennen.'

Toch bestaat er de indruk dat je bemoeienis met woningbouw voorbij is.

'Dat is niet waar. We zijn bij Mecanoo altijd woningbouw blijven doen. In het begin zal het tachtig procent van ons werkpakket zijn geweest, nu is het dertig procent. Maar we hebben het nooit losgelaten, in tegenstelling tot heel veel andere bureaus.

We hebben intern discussie gehad over de vraag of we ermee moesten stoppen. Ik zei: nee, wij blijven het doen. Het houdt ons bij de mensen. We zijn er bovendien goed in, ik zie geen reden ermee te stoppen.'

Waarom was er discussie over?

'Nou ja, omdat de glamour natuurlijk in andere projecten zit. Dus als je niet uitkijkt word je daarin meegezogen. Ik wil dat niet. Ik wil dat we met elkaar het hele werkterrein blijven bestrijken.'

Ben je daar goed in, in 'met elkaar'?

'Ik denk het wel. Dit beroep kan je niet in je eentje doen. Er zijn er die dat pretenderen, maar die moet je niet geloven. Aan zo'n project als de bibliotheek van Birmingham zitten zo'n vijftig, zestig man tegelijkertijd te werken. Ik ben een soort kapitein op het schip. Ik moet proberen de visie helder te houden. En tegelijk moet ik luisteren naar iedereen die iets te berde wil brengen.'

Maar ben je daar nou zo goed in, in luisteren? Je bent ongeduldig.

'Ik ben heel snel, dat is zo. Mijn gevaar is dat mijn

Francine Houben samen met Aart Fransen (technisch directeur/partner) en Ellen van der Wal (architect/partner).

Francine Houben, with Aart Fransen (technical director/partner) and Ellen van der Wal (architect/partner).

法蘭馨荷
本，亞德弗朗森
（合夥人／技術
總監），（合夥人）
得瓦，（合夥人／
項目建築師）

gedachten veel te hard gaan en ik de mensen niet meeneem in mijn gedachtenontwikkeling. Toch kan ik ook geconcentreerd luisteren.'

Je wekt de indruk dat je graag drie dingen tegelijk doet. Liever vier.

'Liever tien. Ik denk dat ik wel luister, maar dat ik al luisterend heel sterk eruit filter wat ik kan gebruiken. Dat wekt misschien de indruk van een matige luisteraar. Maar je moet goed begrijpen, als ik niet selecteer terwijl ik luister, krijg ik veel te veel te horen.

Ik kan scherp zijn. Functioneel kortaf. Ik krijg elke dag ontzettend veel mails, heel veel van het personeel. Ik beantwoord die doorgaans met ja of nee. Met niet veel meer. Moeten sommigen aan wennen.'

Ben je dwingend?

'Nou ja, sommige dingen kan ik gewoon goed. Ik heb natuurlijk heel veel ervaring. En ik heb altijd gebrek aan tijd. Dat kan dominant overkomen. Dan denk ik: alles goed en wel, hier gaan we niet eindeloos over debatteren.

Je moet mij altijd tegenspel bieden. Dat verwacht ik ook van de mensen om mij heen. We hebben 25 nationaliteiten in het bureau van Mecanoo. Niet iedereen uit die 25 landen kent een cultuur van tegenspreken.'

Waarom heb je 25 nationaliteiten om je heen?

'Mecanoo is beroemd over de hele wereld. Het maakt dat mensen graag aan ons bureau verbonden zijn. Het is bewust beleid van mij. We hebben zo'n tachtig tot negentig mensen op het bureau. Je moet je voorstellen dat we ongeveer 25 bouwkundigen hebben, technische architecten. Die zijn bijna allemaal mannelijk en Nederlands. Dat zijn mijn steunpilaren. Ze zijn enorm belangrijk voor de stabiliteit van Mecanoo. Dan heb je de ondersteunende staf, ook Nederlands, vooral vrouwen. De rest zijn de ontwerpers, stedenbouwers, landschapsarchitecten, architecten. Die komen vanuit de hele wereld. Het mooie is die mixture. Zo hebben we vrienden over de hele wereld, er werken heel leuke mannen en vrouwen op het bureau, uit verre landen. Het is echt geweldig om zo je bedrijf te runnen. Ik kan het iedereen aanraden.'

*

'Je moet mij altijd tegenspel bieden. Dat verwacht ik ook van de mensen om mij heen. We hebben 25 nationaliteiten in het bureau van Mecanoo. Niet iedereen uit die 25 landen kent een cultuur van tegenspreken.'

Ze beschouwt het als een opdracht aan zichzelf altijd iets nieuws te bedenken. Commercieel is het niet slim. Veel architecten ontwikkelen in hun jonge jaren een zekere eigen stijl. Is die eenmaal gevonden, dan wordt die vastgelegd voor het nu en de verre toekomst. Voor het hier en voor het verre buitenland. Aan details wordt geschaafd, maar die eenmaal verworven stijl blijft de stijl en wordt een product voor de internationale markt.

Ze zegt: 'In Taiwan zijn we bezig om bepaalde vormen te ontwikkelen in samenwerking met de scheepsbouwindustrie. Hadden we nog nooit gedaan. In Lleida wilde ik met Spaanse aarde bouwen. We vonden een steen voor de gevel die voelt als Spaanse grond. Een ander zou zeggen: "Mijn stijl is mijn stijl, of dat nu in Taiwan is dan wel in Spanje."
We zeggen vaak tegen elkaar: als wij gewoon een gezond bureau zijn en we kunnen voortvarend investeren in vernieuwing, we houden wat over, dan is het goed.'
Over de architectuur die het vooral van glamour en bluf moet hebben, is ze beleefd kritisch. 'Het is niet mijn manier', klinkt het. En ook nog: 'Ik respecteer het.' Maar dan: 'Het lijkt een vormentaal die permanent op zoek is naar opdrachtgevers bij wie het grote geld zit.'
Het kwam ook naar voren in een kritisch artikel dat ze publiceerde onder de veelzeggende kop *Lakeien van de macht*.
Het kwam zo. Ze gaf een lezing in Sint Petersburg, op een verloren moment ging ze nog even naar een tentoonstelling waar inzendingen stonden uitgestald voor het nieuwe hoofdkantoor van Gazprom. Het moest een driehonderd meter hoge toren worden. Louter grote namen zaten erbij uit de architectuur. Ze liep rond en dacht bij zichzelf: wat doen die collega's hier? Waarom gaan ze mee in het misverstand om in dat prachtige Sint Petersburg een gebouw van

driehonderd meter hoog neer te zetten?

Het was de patserigheid die haar tegenstond. En het besef dat een aantal zeer bekende collega's bereid bleek te dansen naar de pijpen van de machthebbers.

Ze schreef haar ergernis op in een column voor een landelijke krant. Voor zover er reactie kwam, was het de veronderstelling dat ze jaloers was, en de vaststelling dat zij ook zelf niet vies is van prestige-objecten.

Ze verweert zich: 'Wat ik doe in Birmingham of in Taiwan heeft voor mij niets met onderdanigheid aan de macht te maken. Ik maak er in vrijheid gebouwen die de gewone bevolking ten goede komen.'

De column stierf een zachte dood, debat bleef uit. Ze haalt berustend haar schouders op. Wat ze nog wel kwijt wil, is dat in haar tijd – ze bedoelt toen zij nog studeerde – het anders zou zijn gegaan. Dan zouden vast en zeker discussieavonden zijn georganiseerd en dan zouden felle uitspraken zijn gedaan tegen deelname aan patserige projecten als dat Gazpromkantoor. Het vreemde is: die toparchitecten die deelnamen aan de competitie in Sint Petersburg moeten in ongeveer dezelfde periode als zij hun universitaire opleiding hebben gevolgd, ergens in de jaren '70. Je zou denken: die moeten toch beter weten.

Architectuur, zeker internationale, bestaat tegenwoordig bij de gratie van competities. Het is een simpel procedé: wie voor een project in aanmerking wil komen, meldt zich aan en stuurt tekeningen met een ontwerp en een maquette in. De jury beslist. Tot zover de theorie. De praktijk is weerbarstiger. Competities zijn dikwijls juridische wespennesten en zenuwslopende gevechten.

Francine Houben zegt dat ze goed tegen haar verlies kan. 'Als het eerlijk gaat.'

Wat zou ze bedoelen? Kortaf: 'In mijn branche heb je soms het gevoel dat er gerommeld wordt.'

Ooit is ze zover gegaan samen met andere architectenbureaus een rechtzaak te beginnen over de toewijzing van het nieuws stadskantoor van Rotterdam. Verloren. Niet alleen de competitie, ook die rechtzaak.

Ze had haar zinnen gezet op de opdracht. Rotterdam is tenslotte haar stad. Ze is er gaan wonen direct na haar studententijd. Het ontwerp dat Mecanoo indiende was overeenkomstig de bijzondere waarde die ze aan een stadshal voor de bevolking van de stad Rotterdam hechtte.

'Wat ik doe in Birmingham of in Taiwan heeft voor mij niets met onderdanigheid aan de macht te maken. Ik maak er in vrijheid gebouwen die de gewone bevolking ten goede komen.'

Dat Mecanoo niettemin verloor – *so be it*. Wat bij Francine Houben authentieke woede losmaakte was de manier waarop. De opdrachtgever had door een slimme juridische truc de hand gelicht met de voorwaarden. Daardoor kon een bureau winnen dat zich niet aan het budget had gehouden. Dat doet pijn.

Aan haar carrière lag geen enkel plan ten grondslag. Dat vindt ze tenminste zelf. Ze is begonnen uit idealisme, veel meer dan uit ambitie. Niettemin, dat haar loopbaan een hoge vlucht heeft genomen en dat ze nu heel veel buiten Nederland opereert, lijkt haar bij nader inzien een logische ontwikkeling. Het zijn toch de ambities. Ze wil projecten doen die wezenlijk iets veranderen in de omgeving. Dat is in een klein land als Nederland maar in beperkte mate mogelijk. Zo wordt bijna als vanzelf de wereld je toneel.

Het heeft een tijd geduurd, ook omdat zo'n internationale carrière bijzondere eisen stelt aan het thuisfront, het bureau. Dat moet goed op orde zijn. Anders is zo'n stap al snel te risicovol.

Maar welke ambities zijn dat dan die ze in Nederland niet kwijt kan? Na enig duwen en trekken komt er een voorbeeld. Ze had de renovatie van het Rijksmuseum in Amsterdam wel voor haar rekening willen nemen. 'Ik zou het wel willen. Ik zou het ook kunnen.' Maar ze wil niet mopperen. Ze wil slechts verklaren waarom ze haar grenzen is gaan verleggen, letterlijk.

In 2003 organiseerde ze met een grote gedrevenheid de Eerste Internationale Architectuur Biënnale Rotterdam. Ze was toen al *honorary fellow* van de *Royal British Architects Association,* ze gaf al twintig jaar lezingen over de hele wereld, ze had haar plek in het internationale systeem. En toch, het lijkt erop dat die biënnale haar enorm vooruit heeft geholpen.

Het was een uitputtingsslag. Ze moest in anderhalf jaar een concept ontwikkelen van iets dat nog niet bestond. Wat ze wilde was een onderzoekende biënnale, met mobiliteit als centraal thema, op het grensvlak van stedenbouw en architectuur.

Het lukte ontwerpers en researchers aan te trekken uit tien steden, uit de hele wereld. Bijzondere namen waren erbij als Zaha Hadid, Thom Mayne, Gregg Lynn en Odile Decq. Die gingen met het thema aan de slag. Twee maanden lang gonsde het in Rotterdam van plannen en publicaties, van discussies tussen architecten, ingenieurs, verkeersdeskundigen, stedenbouwkundigen, landschapsontwerpers èn studenten.

Ze beschouwt het na zoveel jaar nog als haar grootste persoonlijke prestatie. 'Ik was gesloopt. Het was een geweldig festijn.'

Van erkenning is ze niet afhankelijk. Zegt ze. Ze is ook zo eerlijk om op te merken: 'Van succes kun je nooit genoeg hebben.'

Kan ze incasseren in die harde wereld van competities en bluf? Gedecideerd: 'Ik houd altijd mijn doel voor ogen. Ik weet dat ik onderweg naar dat doel tegenslag zal ondervinden. Dat hoort erbij. Wat blijft is mijn doel.'

'Ik ben mijn hele leven gekomen waar ik wilde komen. Ik vergeet nooit dat ik als student bijzondere huizen en architecten wilde zien. Ik zorgde dat ik er netjes uit zag en belde aan. Ik kwam altijd binnen.'

Bestaat er zoiets als vrouwelijke architectuur?
'Ik wil gewaardeerd worden om wat ik kan, niet omdat ik vrouw ben. Het is toch geen prestatie vrouw te wezen?'

Het kan wel helpen.
'Ik denk wel dat ik heel erg vanuit het kind en mensen denk.'

Voetbal is mannelijk. Architectuur is dat toch ook?
'Over het algemeen wel, ja. Je kunt de vrouwelijke toparchitecten in de wereld op een hand, misschien op twee handen tellen. En dat verandert voorlopig niet. Dat komt ondermeer door de aard van het werk. Je moet er zeven dagen per week 365 dagen per jaar mee bezig willen zijn. Je moet artistieke kwaliteiten hebben, zakelijke kwaliteiten, organisatorische kwaliteiten. Je moet communicatief zijn. Mannen hebben daar meer tijd voor, vermoed ik.

Tegelijkertijd denk ik: ik wil zo niet over mijn vak praten. Ik doe gewoon wat ik doe. Of dat vrouwelijk of mannelijk is kan me niet schelen.

Het beste wat je erover kunt zeggen is dat ik een soort rolmodel voor jonge mensen en vrouwelijke architecten ben geworden. Okay, dat is prima.

Er is natuurlijk na de Tweede Wereldoorlog heel veel lelijks gebouwd. Slechte architectuur, slechte stedenbouw.'

'Ik wil gewaardeerd worden om wat ik kan, niet omdat ik vrouw ben. Het is toch geen prestatie vrouw te wezen?'

Ogenschijnlijk vanuit het niets zegt ze: 'Dat is wel allemaal door mannen gebeurd.'

Zo, die zit.

Ze hanteert tien statements (zie p. 346). Daar staat eigenlijk haar hele filosofie in.

Ze wil met Mecanoo 'humaan' zijn, architectuur en stedenbouw bedrijven vanuit het perspectief van de mens, en zelfs het kind. Het kan natuurlijk veel academischer. Dat wil zij niet. Ze probeert zich voor te stellen hoe gebruikers haar werk aanvoelen. Die mensen hebben een baan, de kinderen moeten naar school, aan het eind van de dag komt men thuis – hoe is het daar dan? Hebben ze een beetje prettige woonkamer? Waar kunnen de kinderen spelen? Ze probeert zich zo'n leven voor te stellen en een antwoord te vinden op de vraag hoe dat bestaan veraangenaamd kan worden.

Ze analyseert ook op rationele wijze, maar houdt ervan vervolgens haar intuïtie een belangrijk deel van het werk te laten doen. Mensen denken vaak dat intuïtie iets vrouwelijks is. Dat vindt ze maar onzin. Intuïtie heeft niets met het vrouwelijke van doen. Intuïtie is gebaseerd op ervaring. De belangrijkste natuurwetenschappelijke doorbraken begonnen met intuïtie. Wie heel veel ervaring heeft, kan veel met een gaaf ontwikkelde intuïtie.

Ze heeft een kapel gebouwd in Rotterdam, op een begraafplaats. Ze noemt die kapel altijd haar meest intuïtieve gebouw. Haar jeugd was doortrokken van het rooms-katholieke geloof. Ze hoeft geen dikke boeken te lezen over het katholieke geloof. Ze hoeft zich alleen maar de geur van wierook voor de geest te halen. En de aanblik van door glas gefilterd licht.

Het is grappig te bedenken dat ze is opgeleid aan de Technische Universiteit in Delft - allemaal bèta-studies. Zij en haar medestudenten van Bouwkunde werden altijd beschouwd als lui die maar wat aan het fröbelen waren.

Die kleinering lijkt te hebben gewerkt. Aan veel architectuuropleidingen is men het vak gaan rationaliseren. Er is geprobeerd er iets academisch van te maken.

Ze zegt: 'Zo ben ik nooit geweest. Vroeger zei ik al dat een project 'een taartje' moest zijn, of 'een paleisje'. Ik praatte toen al in gevoelstermen over het werk. Dat is niet de traditie in mijn beroep.

Niet het programma van eisen, maar schoonheid geeft mij

houvast. Er zijn gebouwen en steden die de onvoorspelbare veranderingen in de tijd aankunnen. Waarom? Omdat ze van zichzelf mooi zijn. Schoonheid is mijn leidraad. Ik probeer in publieke gebouwen onvergetelijke ruimtes te maken met een eigen identiteit. Ik wil zorgen dat mensen er trots op zijn, er plezier in hebben of liever nog, het als een geschenk zien en ervan gaan houden.'

✳

Mike Whitby is voor Birmingham wat Thatcher ooit was voor het Verenigd Koninkrijk: een gezond verstandpoliticus met een grote aantrekkingskracht op de gewone man/vrouw. Whitby over Thatcher: 'Zij keerde zich tegen het establishment, al denkt iedereen juist het tegengestelde.'

Hij is de burgemeester, *The Leader*, van Birmingham. Tenminste twee factoren hebben Birmingham getekend: de bombardementen tijdens de oorlog en het definitieve verval van de oude industrieën in het begin van de jaren zeventig. Het is de tweede stad van het land, in menig opzicht een herinnering aan de tijd dat *England ruled the waves*: alle etniciteiten van de Commonwealth zijn er vertegenwoordigd.

'De bibliotheek wordt zonder twijfel het paleis van het volk', zegt Whitby. Altijd een luide, opgewekte stem. 'De bibliotheek moet *a people's palace* worden', beaamt Francine Houben.

Whitby is de opdrachtgever voor de grootste bibliotheek van Europa. Bijna 200 miljoen pond is er voor uitgetrokken. Mecanoo heeft het bouwwerk ontworpen.

Francine Houben draait mee in de wereldtop. 'Toch wel stoer', noemt ze dat. In Engeland had ze nog nooit een competitie gewonnen. 'Daar leer je verrekte veel van.' In Birmingham won ze. 'Ik denk dat ze aanvoelden dat ik het voor hun wilde maken.'

Ze liet namen achter zich als Foster en Koolhaas. Op de schutting rondom de gigantische bouwplaats in het centrum van de stad staat ze afgebeeld als een popster. 'Je moet wel bijzonder zijn om dit te mogen bouwen', zegt ze. 'Ik geef er niks om, maar het is wel een voorwaarde.' Het komt eruit zonder poeha.

Ze kende Birmingham niet. Of het nu het theater- en congrescentrum is van Lleida of de enorme bibliotheek naast het beroemde Repetory Theatre van Birmingham dan wel het culturele landmark

Schoonheid is mijn leidraad. Ik probeer in publieke gebouwen onvergetelijke ruimtes te maken met een eigen identiteit. Ik wil zorgen dat mensen er trots op zijn, er plezier in hebben of liever nog, het als een geschenk zien en ervan gaan houden.'

van Kaohsiung in Taiwan, altijd maakt ze zich de plek op dezelfde manier eigen: te voet. In Birmingham liep ze drie dagen lang door de stad. Wat ze zag was de wirwar aan architectonische stijlen, zandsteen, *blue bricks*, *red bricks*, de rijke periode en het verval daarna. Een stad opgetrokken uit incidenten. 'Ik wil samenhang brengen', zei ze tegen Whitby, 'temidden van de etnische diversiteit en de sporen van het industriële verleden.'

Whitby spreekt in vergelijkbare termen. 'De kracht van de stad is dat we het onvoorspelbare van mensen begrijpen', zegt hij. Birmingham ziet hij als 'een tempel van christenen, joden, sikhs, moslims en nog tal van andere groeperingen'. In de centraal gelegen bibliotheek moet het gevoel van gemeenschappelijkheid zijn bestemming vinden.

Whitby: 'Francine heeft het ons beloofd en zij gaat het waarmaken.' Het klinkt niet eens als een dreigement, veeleer zijn het woorden van geruststelling en vertrouwen.

Na het Centre for the Arts in Taiwan is Birmingham het grootste project in de geschiedenis van Mecanoo. Wat in 1984 begon als een avontuur van net afgestudeerde, jonge ontwerpers is dertig jaar later uitgegroeid tot een sterk en gezaghebbend bureau.

Ze komt nog eens terug op de begintijd. We mogen vooral niet denken dat zij haar oorsprong heeft verloochend. Die lag in de sociale woning-bouw. Nog altijd vindt ze die van cruciaal belang voor het vak.

Wat zij en haar gedreven partners in de begintijd aan sociale woning-bouw realiseerden, is een omslagpunt gebleken in het denken. Het thema van haar afstudeerscriptie was dat ook sociale woningbouw een architectonische opgave is. Dat was toen een nieuw geluid. Ze zegt: 'Met Mecanoo hebben wij een belangrijke rol gespeeld in de verandering van het denken. Ik heb de wereld een beetje beter gemaakt.' Ze glimlacht. Ze lijkt een beetje verlegen over zoveel vermetelheid. Maar dan toch: 'Vind ik wel, hoor. Ik heb de wereld een beetje beter gemaakt.'

Het kantoor van McLund is een grachtenpand uit 1750 met veel originele details ontworpen door de Italiaanse architect Bollina

The McLund office is a canal house from 1750 with many original details designed by the Italian architect Bollina.

麥昆McLund公室以此建州邊，是由這人所建築師Bollina在1750年設計建造，至今仍保留許多當時的細部。

'Intuition takes me there
Intuition takes me everywhere'
John Lennon

'An unforgettable building, that is what I want to create'

Spring, and early on a Sunday morning. En route to her childhood home in the south of the country, the discussion in the car revolves around the highway and aesthetic annoyances: the sound barrier walls. In her eyes, they are either dirty or shabby, or because of colour or material choice, overly present. That goes for both variants: it could be better, more beautiful.

'Noise barriers should be serving the landscape, and not be architectural. Green barriers or Corten steel walls; that would do. You can see that people have done their utmost best. Then I think, what a waste of all that energy.'

She has been intensely involved with this for four or five years. She has been intensely involved with this for four or five years and christened it the 'aesthetics of mobility'. It was a new word that would take it far. The concept found its way into the coalition agreement of a new Cabinet. She was to become a professor in Switzerland and the Netherlands, teaching the aesthetics of mobility.

At that time she was a member of the VROM Council, which advises the government on the spatial domain. She wondered what she was doing in a council with administrative mindsets made up of men of a certain age. The chairman had persuaded her. 'Francine,' he said, 'if you provide the vision, I will handle the implementation.'

At that time it was considered progressive to plan urban development along the highway. Yet this way, the countryside beyond could be kept open. She was not enthusiastic. What did she want? Aesthetics, she said. For the mobile person. It was an answer that was pretty complicated in its simplicity. She says: 'I can find things very beautiful, from the car.'

Who knows how many times she drives from Rotterdam to Delft, 20 km between home and office. Mecanoo, the architectural firm which she co-founded in 1984, is her love. They started with houses and schools, as well as neighbourhoods. Since then, Mecanoo has broken through internationally, Houben has become sole owner and the firm has four young partners. Mecanoo's oeuvre has grown to an unprecedented breadth of projects: along with homes, offices and schools, it also includes skyscrapers, libraries, parks, squares, highways, convention centres, museums, theatres, a concert hall and even a chapel.

The work can be found in Rotterdam and many other places in the Netherlands. But also in Taiwan, Korea, Spain and England. She was visiting professor at Harvard, she gives talks and lectures all over the world: Sao Paulo, Sydney, Manila, and Seattle, just to name a few.

Even though she is often in the plane and on the road, she cannot be considered as part of the jet set crowd. She is certainly a feminine woman: always dressed in clothing that reflects a refined taste and the lipstick is never out of reach. What she radiates above all, is ease of movement, be it with Mecanoo colleagues or in the company of the King of Spain.

In the car between Rotterdam and Delft. The view is dominated by traffic suspended over the road, indicating that the speed limit here is 80 kilometres an hour. This array of signs, the pattern of repetition - it speaks to her, it gives her an impression of calm and order.

'Noise barriers should be serving the landscape, and not be architectural.'

INTERVIEW

ENGLISH

JAN TROMP

She takes pictures while she steers. She photographs everything, non-stop. Think of it as her notebook. She always carries a camera, always with a wide-angle lens. She has a whole series of cameras. Actually, as a rule, she likes to have more than one camera with her. It's time for a bigger Chanel bag she says with a smile. 'My camera is my sketchbook.'

Sunday morning and Heerlen is near. It states in her passport that she was born in Sittard in 1955. The town of her youth lies fifteen kilometres south, at the tip of the province of Limburg. This is where she was formed. She thinks of Sittard and recalls her Aunt Jannie. She was still very young. Fifty years later in Heerlen, she walks from the Zandweg to the Bekkerveld by memory, from home to school and church.

Heerlen has become an ugly city since the mines closed. Poverty holds fast, like a tick.

Her Heerlen was beautiful and cheerful. That is how it felt. Her parents - father a lawyer in the State Mines, mother, housewife and the centre of the family - had their house built here. It is a typical fifties house. She praises the optimism of those days. After having survived World War II, the past was overcome, what lay before us was a new era.

The house on the Zandweg dates back to 1959. It exemplifies the spirit of the times: free-standing, with a facade of natural stone, white painted brick and wood. Steel frames. The blue steel door with its six round holes was a masterpiece of modernism. You can still clearly see how it must have been a house full of adventure for a child, although the current occupants have made it more boring. She talks about the bright colours that characterized the interior, yellow and blue, red and black. She says: 'I believe that people develop their senses at around the age of five. It is important for children to grow up in an environment that stimulates the senses.'

On another occasion she talks about her admiration for Charles and Ray Eames, the American designers who knew how, in an almost perfect way,

to combine form and emotion, rationality and sensuality. She visited them in the house that the Eames' built in the hills of Santa Monica near Los Angeles after the war. It was as if she has found herself, her deepest convictions of what architecture should be. Of course, it is often about the technical aspects. But it is also and above all a matter of feeling, taste, seeing, and of undergoing.

In January 2004, as professor, she gave the yearly address during the Dies Natalis, at the Technical University of Delft. It is the university where she studied. The first sentence of that speech was: 'You can try to describe everything, but a lot has to do with intuition.'

Another time she began talking about the seasons and she commented on how nice it is that the Netherlands has four very different seasons - you feel the difference on your skin. 'In the Netherlands, someone can be *sixteen springs old.* That one can even say so is very beautiful.'

As a young mother, she lived in an apartment eleven storeys high and over nine meters wide with a splendid view. 'To see that glorious rich- ness of the sun, rain and storms roaming over the Dutch landscape; this is unforgettable.'

The sensory guides her work. She often uses the word *tactile*. Accor- ding to the dictionary, a tactile person is a magnetizer.

She works non-dogmatically, or rather anti-dogmatically, her style is not pre-programmed, she instead tries to rediscover herself each time. Her architecture is earthy, in the sense that her designs are always in relationship with the natural environment and culture of the city or neighbourhood.

> 'I believe that people develop their senses at around the age of five. It is important for children to grow up in an environment that stimulates the senses.'

In Heerlen, the streets descend from Zandweg to Bekkerveld, from school to home is uphill. It is all wavy slopes, winding up and down. As a child, Houben loved the curves and bends on the narrow streets which linked the villages in hilly Limburg landscape.

With a sparkle in her eyes she talks about her mother driving the car to a halt at the top of a hill. The engine shut off. Then coasting downhill with gravity, ever faster. Until the road creeps uphill again and also the 'pushing' of the kids in the back- seat was no longer helping and the vehicle came to a painfully slow halt: *Dutch mountains.*

*

Architecture is an addiction, you work day and night. Anyone who cannot handle this, should choose something else. Because you certainly do not do it for the money.

This issue had already been mentioned in passing. When asked directly about it she says: 'It is a poorly paid sector. The overall impression is perhaps different. Architects usually have a large car or an impressive home. That's because they love beautiful things. At the top, money will be well earned. But for most what holds true is: work hard and earn little.'

For a female architect, there is even more to deal with. This does not have to do with the job, but in the role of mother that a woman in the Netherlands is still supposed to fulfill. Cooking, raising children, shopping - that palette.

With infectious excitement, she talks about Bangkok – yet another city. They look at you in disbelief when you tell them about your double burden (work and kids). In a city like Bangkok, people with a busy job have at least a car with driver, house staff walking around, and all kinds of conveniences that are unusual in the Netherlands.

Resigned: 'Well, it's those little eye openers that you experience when you travel around the world a lot.'

Through her experience, she has become wiser and more business savvy over the years. That is to say, she herself, actually not. How purposely she appears, for the financial she always retained a degree of indifference. But she has taken great care to have people around her who monitor the business side of things.

The result now is that she can live well from her work. In the first twenty years of her career, this was different. Musing she thinks of an English architect who she knows quite well, a fellow of good reputation and fame. She had been given an assignment to build a hotel in Germany. But the client did not make the last payment. The architect, who had just had a baby, had to go through the courts to receive payment. In the meantime, she could not make ends meet. She says: 'all very recognisable.'

She was once in Moscow and a Dutchman told her that Russian architects in their country belonged to the elite. She then realised how differently she was brought up as an architect. 'I'm naive about it,' she says without hesitation.

And then: 'We were never concerned about the money, it went completely over our heads. It did't fit in with the tradition of the Delft University of Technology, nor with the ambition for Mecanoo. In the '80s it was more about the importance of social housing projects that benefited the community. That was your pledge.

'I recently gave a lecture in Manila, the Philippines. I told the students: 'Listen, our job is not just for an elite.' It is shocking that they don't understand this.

In the Netherlands, we have a tradition of over one hundred years, by corporations and government planning that housing for people is important. This is why they don't understand this mission and the development of Dutch architecture in the rest of the world.

In 90 percent of the world, the housing can best be compared to what Europe did after World War II: to produce, realise numbers. It comes down to scale, not quality of life. Tiny homes of forty to sixty square metres in mass production. Flat stacking.'

She can talk exhaustively about 'that grey, inhumane construction'. It is a subject that touches her soul. The entanglement of interests in many countries between politicians, civil servants and contractors bothers her immensely.

Ready for battle: 'As young architects we felt that things had to be different, that you just didn't have to produce apartment buildings and houses in unimaginative rows. We were trying to set new examples. '

Yes, they were successful. It worked to achieve a shift in public housing, but not just on its own. What helped enormously was that clients - powerful councilmen and some executive directors of housing associations - also saw the necessity for high value housing.

She says: 'As an architect, you can be visionary and set examples, but without a client who thinks along with you, you get nowhere.'

'We were never concerned about the money, it went completely over our heads. It did not fit in with the tradition of the Delft University of Technology, nor with the ambition for Mecanoo.'

✳

We are in Lerida, Lleida in the Catalan language, the second major city after Barcelona in Catalonia. Here she built a large convention centre and theatre, an impressive building. Terrestrial. It has the yellowish orange colours of the Spanish earth. The sandstone they used has that too. She worked the fruits of this agricultural region into the details of the interiors; in her own way, otherwise it would be a cliché.

Many people at the office were against it, but she felt certain that she had to go through with it. This is what she envisioned. She speaks frequently and highly of the employees. 'In all my fire they are my earth, solid ground.'

She is proud of the community they form with each other. And yet: 'There *is* indeed one captain. Design is not a democratic process. But if they have better ideas I follow them.

Architecture is a very complicated job. You need to know so much, so very much … You do your best work after fifty.'

Lleida is dominated by the fifteenth century cathedral Seu Vella, on top of a hill. Now, as a counterpoint, she built her cultural centre, sprung from the Spanish earth. 'These are two monuments of the city,' she says. 'They look at one another.'

The idea is exciting as it is audacious, this she recognizes from the start. 'I'm always scared to death that it is not going to turn out well. What if everyone in Lleida finds it ugly.' Slight shiver, but also: 'No, it's not uncertainty. I am very critical of my work. It is the responsibility I feel. I often think I feel this more than others. An unforgettable building, that is what I want to make. Unforgettable collective spaces.'

This complex and intense relationship to work has a melancholy side, it seems: 'Imagine, you work five years on a building. Five years with various groups, clients, contractors, subcontractors, your local partner, five years sustained together, and if all goes well you have created something beautiful together. Then paths separate and everyone goes off to do something else.

I'm always sad at the end, when I hand over a building to the people who will use it. Compare it with the children you bring up who inevitably go their own way. I think then: I hope they take good care.'

*

'Architecture is a very complicated job. You need to know so much, so very much ... You do your best work after fifty.'

'I'm always sad at the end, when I hand over a building to the people who will use it. Compare it with the children you bring up who inevitably go their own way. I think then: I hope they take good care.'

Then what are the reasons for choosing this profession?

'Imagination. It is the desire to make things that aren't here yet and to contribute to the quality of life. That you think your design is good and you know how to convince everyone - that's a fascinating process. You say: this is how it has to be. And they do it!'

Do you still feel that you have a social responsibility?

'Yes, I certainly do, even though it sounds rather old-fashioned. I was educated in the seventies and dedicated myself to social housing. If you look at education these days and at architecture magazines, it is very much about *starchitecture*, about architecture with the strangest shapes, for the highest budgets. The sky is the limit.

I think that the young generation must return to the basics. This is also a financial issue. The era of big money is over in Europe and one should instead figure out how to deal with for instance existing buildings, with smaller projects.'

As you formulate it now, social conscience comes not from inner conviction, but it is mainly a financial and economic issue.

'Yes, maybe that is so. I don't really know. Look, it's been said to me: Francine can talk about beautiful architecture in the service of society, but she herself builds monumental buildings. But they are always public buildings, buildings for the community. I always try to make something in a city or region that elevates people.

I say gladly of my work: it is visionary and serving. Serving not in the sense of submissive, obliging. I make buildings for the users, for the public. *That* I find is the beauty of this profession.

That distinguishes an architect from the artist. Architecture is not an autonomous art. I do believe that one has to be authentic to be an architect. But an artist works for himself, an architect for a public.'

What is visionary?

'Visionary is imaginative. It is directed toward the future, seeing in another perspective and willing to work with new techniques.'

Making buildings for the general public sounds a bit conservative. Public taste is not geared toward the new.

'I'm not so negative about it. If you explain what you're doing and

INTERVIEW

ENGLISH

JAN TROMP

take them along with you, people are very willing to follow, even if it's about buildings they do not know yet.'

There seems to be the impression that your intervention with housing is over.

'That's not true. At Mecanoo we are always going to continue designing housing. Initially, eighty percent of our work was housing, now it's thirty percent. But have not let it go, unlike many other bureaus.

We have had internal discussions about whether we should stop. I said: no, we are going to keep on doing it. It keeps us human. We are also good at it, I see no reason to stop.'

Why was it under discussion?

'Well, because obviously the glamour is in doing other kinds of projects. So if you don't watch out, you'll be sucked into it. I do not want that. I want us to continue working together on every type of project.'

Are you good at working 'together'?

'I think so. This job cannot be done on your own. There are those who pretend, but you should not believe them. On a project like the Library of Birmingham there are fifty, sixty people involved simultaneously. I'm sort of the captain of the ship. I have to try to keep the vision clear. While taking into account what others suggest.'

But are you good at it, at listening? You seem impatient.

'I'm very fast, it's true. My risk is that my thoughts go too quickly and I don't bring people along in my thought development. But I can listen well.'

You give the impression that you are doing three things at once. Four actually.

'Ten actually. I think that I listen well, but I strongly filter out what I can use. That perhaps gives the impression of a poor listener. But you must understand, if I did not selectively listen, I would get way too much input.

I can be sharp. Functionally short. I get lots of emails every day,

Project meeting in the library.

Projectvergadering in de bibliotheek.

麥肯諾辦公室圖書館內的設計會議。

many from the staff. I usually answer yes or no, with not much more. Takes some getting used to.'

Are you forceful?

'Well, some things I can do just really well. Naturally I have lots of experience. And one thing I always lack is time, this can make me appear dominant. Then I think: everything is fine and well, let's not debate endlessly about it.

'You should always say something if you disagree with me. I expect this from the people around me. We have 25 nationalities in the Mecanoo office. Not everyone from these 25 countries knows the culture of open exchange of ideas regardless of position.'

Why do you have 25 nationalities around you?

'Mecanoo is known throughout the world. It makes people happy to be connected with our office. It is a deliberate approach of mine. We have about eighty to ninety people in the office. You have to imagine that we have about 25 engineers, technical architects. These are almost all male and Dutch. Those are my mainstays. They are extremely important for the stability of Mecanoo. Then you have the support staff, also Dutch, especially women. The rest are the designers, urban planners, landscape architects and architects. They come from all around the world. The great thing is the mixture. This way we have friends all over the world; very nice men and women work together, from far away countries. It's really great to run your business this way. I would recommend it to anyone.'

'My risk is that my thoughts go too quickly and I do not bring people along in my thought development. But I can listen well.'

She challenges herself to always think of something new. Commercially, it is not wise. Many architects develop their own style in their early years. Once found, it is fixed in the present and far into the future. For this place and far away places. Except for details, but once acquired, the style remains the style and becomes more a product for the international market.

She says: 'In Taiwan, we are involved in the development of certain forms in cooperation with the shipbuilding industry. We had never done this before. In Lleida, I wanted to build with Spanish earth. We found a stone to use on the façade that looks and has the texture of the Spanish soil. Others would say: 'My style is my style, in Taiwan or in Spain.'

We often tell each other: as long as we have a healthy practice, can vigorously invest in innovation, and have something left over, then it's good.'

Regarding architecture that is particularly about glamour and pride, she is politely critical. 'It's not my way', she would say. And also: 'I respect it.' But then: 'It seems like a formal language in constant search for clients with the big money.'

This was also reflected in a critical article she published under the telling headline *The servants of power.*

It came about like this. She gave a lecture in St. Petersburg, and when at a loss for what to do, she went to an exhibition in which entries were displayed for the new headquarters of Gazprom. It had to be a three hundred meter high tower. Purely big names in architecture were

午餐室。

Lunchroom

there. She walked around and thought to herself: what are these colleagues doing here? Why do they participate in the misguided idea that a three hundred metre high building should be lodged within the beauty of St. Petersburg?

It was the posh-ness she was against, and the realization that a number of well-known colleagues were willing to dance to the tune of those in power.

She wrote about her annoyance in a column for a national newspaper. When reactions came, it was assumed that she was jealous, and the insinuation that she too does not object to doing prestige projects.

She defends herself: 'What I do in Birmingham or in Taiwan has nothing to do with subservience to the power network. I build freedom into buildings so that ordinary people benefit.'

The column died a quiet death, debate failed to materialize. She shrugs her shoulders in resignation. What she still wants to say is that in her time - she means when she was in college - it might have gone otherwise. Then their certainly would have been discussion evenings organized and then strong statements would have been made against the participation in hot shot projects such as the Gazprom headquarters. The odd thing is: that the top architects who participated in the competition in St. Petersburg should have studied at university sometime in the 70s. You would think they should know better.

Architecture, especially international, exists by the grace of competitions. It is a simple process: whomever wishes to qualify for a project signs up and sends in design drawings and a model. The jury decides. That's the theory. In practice, it is more complicated. Competitions are often legal wasp nests and nerve-racking battles.

Francine Houben says she can be good at losing. 'As long as it is honest.'

What could she mean? Curtly: 'In my industry, you sometimes get the feeling of things being manipulated.'

Once she went so far as to start a lawsuit over the allocation of the new city hall of Rotterdam along with other architects. Lost. Not only the competition, but also the trial.

She had set her hopes on the project. In the end, Rotterdam is her city. She went to live there just after her studies. Mecanoo submitted a design for a city hall that would not only express the values but also go beyond the needs of the citizens of Rotterdam.

Mecanoo lost nevertheless - so be it. For Francine Houben, what provoked authentic anger was the way it happened. The client, through a clever legal trick bent the rules. This allowed a bureau to win regardless of it being over budget. That hurts.

Her career was not planned. Things happened along the way. She began out of idealism, far more than from ambition. Nevertheless, her career has taken off and works often outside of the Netherlands, which for her on closer inspection seems to be a logical development. Sounds like ambition. She wants to do projects that really make a difference for their surroundings. In a small country like the Netherlands this is only possible to a limited extent. So the world almost naturally becomes your stage.

It took a long time, because an international career such as this makes special demands on the home front, the bureau. This should be well addressed. Otherwise, such a step can soon be risky.

But which ambitions couldn't be realised in the Netherlands? After some pushing, an example is given. She would have liked to reno-

vate the Rijksmuseum in Amsterdam. 'I could have done it too.' But she does not complain. She merely wants to explain why she pushes her boundaries, literally.

In 2003, with a great passion, she organized the First International Architecture Biennale Rotterdam. She was already an honorary fellow of the Royal British Architecture Institute, gave lectures for twenty years throughout the world;

原本教堂的屋頂桁架空間改為辦公空間，綽號叫「駕駛艙」。

The 'cockpit', a work space in the rafters of the former chapel.

De 'cockpit', een werkruimte in de nok van de voormalige kapel.

she had her place in the international system. And yet, it seems that the biennial advanced her enormously.

The amount of work was epic. She had to develop a concept of something that did not exist in eighteen months. What she wanted was an investigative biennial, with mobility as a central theme at the interface of urban planning and architecture.

It attracted designers and researchers from ten cities around the world. Specific names such as Zaha Hadid, Thom Mayne, Greg Lynn and Odile Decq were there. They went to work on the theme. Rotterdam was buzzing for two months, plans and publications, discussions between architects, engineers, traffic experts, urban designers, landscape designers and students.

After so many years, she sees this as her greatest personal achievement. 'I was wrecked. It was a great feast.'

She is not dependent on recognition. She says. She is also honest enough to note: 'You can never have enough success.'

Does she have enough resilience in this competitive world? Decisively: 'I always keep focused on my goal. I know that on my way to that goal I will face adversity. That's just how it goes. What remains is my goal.

I have gotten everywhere in my life that I've wanted to go. I never forget that as a student I wanted to see extraordinary houses and architects. I made sure I looked tidy and rang the bell. I was always welcome inside.'

Is there such a thing as female architecture?
'I want to be valued for what I could do, not because I am woman. Being a female isn't an achievement in itself.'
It might help.
'I feel that I do think from a child's and people's perspective.'
Football is masculine. Architecture is too, isn't it?
'Generally, yes. You can count the top woman architects in the world on one hand, maybe two. And that does not change over time. This is partly due to the nature of the work. You have to be working seven days a week, 365 days a year. You need to have artistic skills, business skills, organisational skills. You must be communicative. Men have more time for this, I suspect.

At the same time I think: I don't want to talk about work so much. I just do what I do. Whether it is male or female I do not care.

The best thing you can say about it is that I have become a sort of role model for young people and women architects. Okay, that's fine.

After World War II they of course built a lot of ugly buildings. Bad architecture, bad urban planning.'

Seemingly out of nowhere she says: 'That's all done by men.'

So, point made.

She employs ten statements (see p. 347). In fact, they include her entire philosophy.

With Mecanoo, she wants to be 'humane' and design architecture and urban plans from the perspective of the people, and even the child. Of course it could be more academic. She does not want that. She tries to imagine how users feel about her work. These

'I want to be valued for what I could do, not because I am woman. Being a female isn't an achievement in itself.'

people have a job, the children must attend school and come home at the end of the day - how is it there? Do they have a nice living room? Where can children play? She tries to imagine such a life and to find an answer to the question of how life can be made more pleasurable.

She also analyses rationally, but loves to follow her intuition which is an important part of her work. People often think that intuition is something feminine. She thinks it's nonsense. Intuition has nothing to do with the female. Intuition is based on experience. The major scientific breakthroughs began with intuition. Whoever has lots of experience, has a well-developed intuition.

She designed a chapel in Rotterdam, in a cemetery. She calls the chapel her most intuitive building. The Roman Catholic faith pervaded her childhood. She does not need to read great volumes about the Catholic faith. She needs only to bring to mind the smell of incense. And the sight of light filtered through leaded glass.

It's funny to think she was educated at the Technical University in Delft - all science disciplines. She and her fellow students of architecture were always seen as people who were just tinkering.

This belittling seems to have worked. Many architecture schools are rationalising the profession. Attempting to make it more academic.

She says: 'So I never was. I used to say that a project should be *a pie* or *a palace*. I always spoke about work in sensory terms. That is not the tradition in my profession.

Not the brief, but beauty gives me something to hold on to. There are buildings and cities that can handle unpredictable changes over time. Why? Because they themselves are beautiful. Beauty is my guide. I try to create memorable spaces in public buildings with their own identity. I want to make sure that people are proud of it, enjoy it, or better still, see it as a gift and keep it well.'

The 'landscape and urban planning studio:

De 'landschap- en stedenbouwkamer'.

景觀設計與都市計劃工作室。

Mike Whitby is for Birmingham what Thatcher was once for the UK: a healthy politician with common sense with great attraction to the ordinary man/woman. Whitby on Thatcher: 'She turned against the establishment, though everyone thinks exactly the opposite.'

He is the mayor, *The Leader* of Birmingham. Birmingham is marked by at least two factors: the bombing during the war and the final decline of industry in the early seventies. It is the second largest city, in many ways a reminder of the days when *England ruled the waves*: All ethnicities of the Commonwealth are represented.

'The library should without doubt become the palace of the people' says Whitby. Always with a loud, cheerful voice.

'The library must become a people's palace', agrees Francine Houben.

Whitby is the client for the largest library in Europe, with nearly 200 million pounds earmarked for the project. Mecanoo has designed the building.

Francine Houben is at the top of her field. 'Pretty cool,' she says. She had never won a competition in England. 'You learn a lot.' In Birmingham, she won. 'I think they sensed that I wanted to make the Library for *them*.'

She left behind names like Foster and Koolhaas. On the fence around the huge site in the centre of town she is depicted as a pop star. 'You have to be pretty special to be allowed to build this,' she says. 'I do not care, but it is a prerequisite.' It comes out without fuss.

She did not know Birmingham. Whether it's the theatre and conference centre of Lleida or the huge library next to the famous Repertory Theatre in Birmingham or the cultural landmark of Kaohsiung in Taiwan, she always gets to know the area in the same way: on foot. In Birmingham, she walked for three days through the city. What she saw was the jumble of architectural styles, sandstone, blue bricks, red bricks, the period of wealth and its decline. A city built of incidents. 'I want to create unity,' she told Whitby, 'among the ethnic diversity and the relics of the industrial past.'

Whitby speaks in similar terms. 'The power of the city is that we understand the unpredictability of people,' he says. He sees Birmingham as 'a temple of Christians, Jews, Sikhs, Muslims and many other groups'. In the centrally located library, the feeling of community will find its destination.

Projectvergadering over de Library of Birmingham

Project meeting about the Library of Birmingham.

伯明空圖書
館設計會議。

Whitby: 'Francine has promised us and she will make it true.' It does not feel like a threat, but rather the words of reassurance and confidence.

After the Center for the Arts in Taiwan, Birmingham is the largest project in Mecanoo's history. What began in 1984 as an adventure for recently graduated young designers has grown thirty years later into a strong and prestigious bureau.

She goes back again to the early days. We should not think that she has abandoned her origin which was in public housing. As always she finds it of crucial importance for the profession.

What she and her passionate partners realized in the early days of social housing, is a proven turning point in thinking. The theme of her thesis was that social housing is also an architectural challenge. That was a new idea. She says: 'Through Mecanoo, we played an important role in the change of thought.

I've made the world a little better.' She smiles. She seems a bit shy at such audacity. But still: 'I think that, though. I have made the world a little better.'

De tuinkamer.   The garden room.   「花園工作室」。

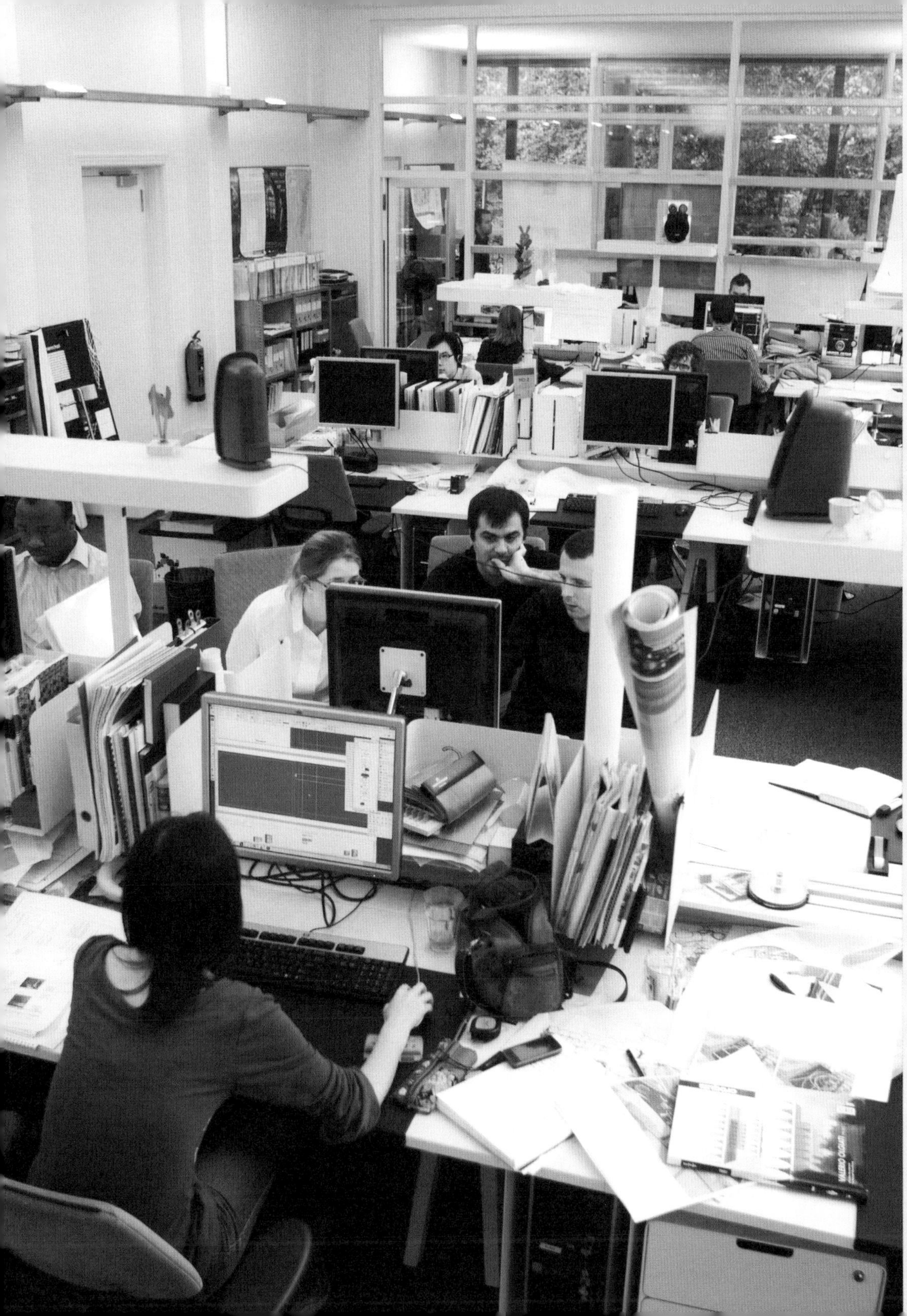

上圖：方濟各 菲英司瓦，公司五位合夥人之一。

Top: Francesco Veenstra, one of the five partners of Mecanoo.

Boven: Francesco Veenstra, één van de vijf partners van Mecanoo.

「直覺將我帶到那裡，
直覺將我帶到任何一方。」
約翰・藍儂

「讓人無法忘記的建築，這就是我要設計的。」

　　春天的一個周日早晨，在去荷蘭南部法蘭馨童年房子的路上，我們在車裡討論高速公路及美學上的缺陷，隔音牆在她眼裡，看起來汙穢破爛，或由於色彩、材料使它們過分突出，以上兩種狀況有同樣的結論：應更好、更美觀。

　　「隔音牆應是大地景觀的一部份，如綠牆或耐候鋼牆都是適合的設計方式，但不應該是建築上的表現，你可以看出他們付出了很大的努力去設計，我認為簡直就是白費力氣。」

　　她投入了四、五年精力，創造了「移動性美學」。這是一個大有發展前景的新名詞，這個新概念甚至在新內閣的執政協約中出現。她在瑞士和荷蘭成為「移動性美學」的教授。

　　她那時候在「住宅-空間管理-環境保護委員會」—一個政府的空間管理顧問—擔任委員。她自己奇怪為什麼當初會加入這種機構，一個由上了年紀的管理專業男士組成的機構。委員會主席當初說服了她，他說：「法蘭馨（Francine），如果你提供願景，我會負責執行。」

　　那是一個認為都市沿著高速公路發展是很前衛的時代，這樣一來，其後的鄉村景色就能保留下來。

　　她對此概念並不十分熱衷。她想要什麼？「美學」，她說，「為了移動的人們」。這是一個簡單的回答，卻有著複雜的涵義，她說：「我從汽車裡可以看到很多東西都是美的。」

　　她已經開車往返鹿特丹與代爾夫特無數次，在家與辦公室之間的20公里路程。身為創立於1984年的建築師事務所—麥肯諾（Mecanoo）—的創始建築師之一，這家公司是她的至愛。她從住宅、學校及社區設計起步，至今，麥肯諾已經在國際上馳名，法蘭馨・荷本（Francine Houben）現在是唯一的公司擁有人，公司另有四個年輕的合夥人。麥肯諾的作品已經

擴展到相當廣度：除了住宅、辦公樓和學校，還有摩天大樓、圖書館、公園、廣場、高速公路、會議中心、博物館、劇院、音樂廳甚至是祈禱堂，其設計成果可以在鹿特丹和荷蘭無數其他城市見到，也可以在臺灣、韓國、西班牙及英國找到。她是哈佛大學的客座教授，並在世界各地作過講座和授課，如聖保羅、雪梨、馬尼拉、西雅圖不過是其中的幾個例子。

即使她經常在飛機及交通上度過，但從不是一般商業人士的模樣，她是一位十分性感的女士，總是衣著考究，口紅不離手，她更突出的氣質是她自如的舉止，不論是在辦公同事中間，或在西班牙國王的身旁。

從鹿特丹到代爾夫特的汽車裡，車窗景致由在高速公路上方的交通標誌主宰，如「速限80公里」，一連串的標誌，並重複出現， 她喜歡路上這種平順且有秩序的感覺。

她在開車的同時也攝影，她拍所有東西，不間斷，她把這些照片當作她的筆記，她總是隨時攜帶廣角鏡頭相機，她有一系列的照相機，實際上她想隨身攜帶多個相機，「是時候買個大一點兒的香奈爾手提袋了」，她笑著說。

「我的相机就是我的素描本。」

周日早晨，黑爾林（Heerlen）就快到了，在她的護照上標明她於1955年出生於西塔德（Sittard）市。她的少年時代卻在15公里以南，林堡省最南角度過，她是在那裡成長的。講到西塔德市，她想起她的姨媽Jannie，那時她還很小。在50年之後的黑爾林市，她還能準確無誤地依記憶從沙路街走到賽馬廣場，從家到學校和教堂。

黑爾林在煤礦關閉後變成了一個醜陋的城市，貧窮瞬間蔓延。

她的黑爾林城市卻是美麗和充滿快樂，她是這樣感覺的。她的父親是國營煤礦的法律顧問，母親是家庭婦女及家庭中心人物，父母親在這個城

「隔音牆應是
大地景觀的一部份，
但不應該是
建築上的表現。」

市建造房子，典型50年代的房屋。她崇尚當時的樂觀主義，二戰過去了，戰勝了過去，在我們面前是一個全新的時代。

在沙路街的房子建造於1959年。表達時代精神的設計：獨棟、自然石材、白色的磚及木料、鋼窗框，有六個圓洞的藍色鋼門是現代主義風格的傑作。僅管現有的房主將房子改裝的單調了許多，你仍然可以看到對於一個孩子來說，為什麼這幢房子有十分的探險性。她講述當初室內的鮮豔色彩，黃色、藍色、紅色及黑色。她說：「我堅信孩子在5歲的時候開始開發各種感覺器官，所以對於一個孩子來說，生長在一個對其各種感官有啟發性的環境十分重要。」

在另一個場合，她透露了她對查理斯·伊姆斯（Charles Eames）及蕾·伊姆斯（Ray Eames）的景仰。這對美國設計師將造型、感性、理智及感官知覺完美地融合在一起。她曾到伊姆斯夫婦於戰後在洛杉磯聖塔莫妮卡丘陵上建造的房子裡拜訪過他們，她似乎在那裡找到了自己，並深深體會到何謂建築，當然很多體會是關於建築技術，但更是關於感覺、品味、視覺及經歷的組合。

2004年1月她在任教的代爾夫特理工大學校慶上講演，這也是她所受教育的大學。她的開場白為：「你可以試圖描述一切，但解答常常是來自直覺。」

還有一次她講述對季節的感覺，她指出荷蘭四季分明的氣候是多麼的宜人，你可以從皮膚上感覺到變化。「在荷蘭，人們可以描述自己的年紀是十六個春天，這是相當美的一種描述方式。」

在她還是一個新手媽媽的時候，她住在公寓的第十一層，附加九公尺寬的寬闊視野，「看著陽光、雨滴及暴風雪在荷蘭的地景上掠過，是相當難以忘懷的經歷。」

感官體驗是她工作的指南。她自己經常運用「觸覺的」這個詞，根據詞典的解釋，一個觸覺感官敏銳的人也會是個「磁化器」。

她工作從不教條武斷，更清楚地說，她反對教條武斷，她的風格是從不事前設定好一切，每次都設法開發自己的潛能。她的建築風格是以土地為本，這裡是指她的設計向來是與自然環境及該城市或臨近環境相關連。

在黑爾林城市從沙路街到賽馬廣場的街道是向下傾斜的，從學校到家是上坡道。到處是斜坡，如波浪一般，彎曲的道路向上、向下傾斜。兒童時期的荷本，極喜愛連接林堡省各個丘陵小鎮的弧狀和起伏小道。

帶著興奮的神情，她講述著她母親將汽車停在小丘陵頂上的習慣，關掉引擎，然後汽車以重力下滑，越來越快，直到下一個丘陵到來，道路開始上坡，即使在後座的孩子們幫忙向上推都不管用，汽車緩慢地停了下來，這就是荷蘭的山。

＊

「我堅信孩子在5歲的時候開始開發各種感覺器官，所以對於一個孩子來說，生長在一個對其各種感官有啟發性的環境十分重要。」

建築設計是一種癮，設計者常常日夜不停的工作，承受不了這一切的人，就應該作其他工作，人們決不是為了錢進行。

正好順便談談這個問題，直接問她的看法，她說：「這是一個收入不佳的行業，也許普遍印象與此相反，建築師們大都有好車或引人注目的住宅，這是因為他們喜歡有設計感的生活，此行業尖端的建築師薪水不差，但對大部分建築設計師來說，工作辛苦、收入不豐。」

對於一個女建築師來說更是雪上加霜，這與專業能力無關，而在於荷蘭女人被認為應該扮演母親的角色—做飯、撫養孩子、採買—一整套家務。

以帶有渲染力的的興奮語氣，她講述起另一個城市—曼谷。如果你告訴泰國人，你必須同時兼顧工作與照顧小孩，他們會以不可置信的眼神看著你，例如在曼谷，有這麼繁忙工作的人通常擁有汽車與司機、家裡有整理家務的管家，以及其他各種荷蘭人眼裡極不尋常的服務。

她認命地說：「嗯，如果你走遍世界就會遇見這些開眼界的事情。」

多年以來，她的經驗使她變得更精明和商務化，換句話說，她本性並非如此。儘管她會設定目標並全力達成，但財務上她經常無法達到預期成效，於是她在身邊安排能幫她管理好業務的專業同事。

結果是她現在可以很好地靠本身工作生活，但她職業生涯的前二十年確不同。在沉思中她想到一

個她認識的英國建築師，一個名聲不錯的同行，她得到一個在德國的旅館項目，但客戶卻拒絕支付尾款，剛剛生下嬰兒的英國建築設計師只能通過法庭討回欠款，當時她已入不敷出。

她說：「這一切都十分司空見慣。」

她有一次在莫斯科遇見一個荷蘭人告訴她，在俄國建築師是屬於貴族階層。那時她才意識到她的建築師培育過程有多不同。

「我在這方面十分無知。」，她毫不遲疑地說。

她接著說：「我們從來沒有注意過收入的問題，我們完全忽略了這一點，這與代爾夫特理工大學的傳統不合，也與麥肯諾公司的主要目標不同，在80年代是以造福於社會的社會福利住宅項目為主，這就像是我們的誓言。」

「我最近在菲利賓的馬尼拉講演，我對學生們說：『請注意，我們的行業不只是為社會頂層服務。』，讓人吃驚的是他們無法理解這種觀點。」

「在荷蘭近一百多年累積下來的傳統，通過法人或政府計畫讓全民有房子住是很重要的課題，這就是為什麼世界其他地方的人，對這種建築師責任與荷蘭建築近代史常常無法理解。」

「世界90%地區的住宅專案，和歐洲二戰過後時期的住宅建型態相似，大規模建造，完成計畫的數量，注重的是規模，並不注重居住環境的品質。大量生產40到60平方公尺的小公寓，一個挨著一個的公寓。」

她可以不停地講述那灰暗的、不人道的建築，這是一個觸及她內心深處的話題，她對各國政治家、公務員與承包商之間的利益之爭討厭至極。她帶著挑戰的語氣說：「身為年輕的建築師，我們認為應另闢新徑，不應該不加考慮地建造沒有任何想像力的一堆公寓和住宅，我們當時努力設立新典範。」，確實，他們成功了，他們扭轉了社會住宅的設計趨勢，但並不僅僅是建築設計的改變，更重要的是：對住宅開發者的影響，有影響力的議員和住宅機構的負責人們，也認識到高品質住宅的重要性。

她說：「作為建築師你可以遠見卓識並作出榜樣，但沒有業主的共識，你還是達不到目的。」

＊

我們在加泰羅尼亞省繼巴塞羅納第二大城市—萊里達市（西班牙語拼做Lerida，加泰羅尼亞語拼做Lleida），她在那裡建造了大型會議中心與劇場，一個十分引人矚目的建築，與大地相連，建築有著西班牙泥土的黃橘顏色，與當地用的沙岩建材顏色相同，她還將該農業區盛產的水果融入到每個室內設計細節中，當然是以自己獨特的方

式，不然很容易落入俗套。當時公司裡很多人都反對，但她認為應該堅持到底，腦中已有清晰的想法浮現。她常常談起並誇獎她的員工，「在我如火焰般無邊際的想像世界中，他們是我的大地，紮實穩固的基礎。」

她對她與公司成員組成的團隊十分驕傲，但是：「一艘船上只能有一個船長，設計並不是一個民主的過程，但如果他們有更好的建議，我也會服從。」

「建築設計是個很複雜的職業。你必須有豐富的知識，十分豐富的知識，最佳的作品只會在50歲後出現。」，萊里達市的風景，是由十五世紀的、坐落在山頂的索衛拉大教堂主宰，現在作為它的對應點，她設計了從西班牙大地升起的文化中心，「這是城市的兩座地標。」，她說，「它們遠遠相望。」

這是一個刺激同時大膽的想法，她從開始就意識到這一點，「我非常害怕結果不如預期，萊里達市民是否會認為它奇醜無比。」，她輕微地顫抖，但同時：「不，我不是沒有把握，我向來用批評的眼光衡量我的工作，我認為這就是責任感，或許我的責任心過強。讓人無法忘記的建築物，這是我要設計建造的，令人難忘的公共場所。」

如此複雜且緊密的合作，也有令人憂鬱的一面，「想想，你花了五年的時間在一個建築物上，在這五年其間，你必須與各方持續合作，與你的客戶，你的營造公司，你的營造商下包，當地建築師與團隊，你必須堅持五年，如果成功了，你們共同創造了一件美好的事物，之後大家分道揚鑣，各自繼續去忙其他事情。」「我在將建好的建築交接給使用者後，總是十分憂鬱，就像你養大的孩子不可避免地各自去走自己的路一樣，我總是想，我希望他們好好照顧這些建築物。」

「我們從來沒有注意過收入的問題，我們完全忽略了這一點，這與代爾夫特理工大學的傳統不合，也與麥肯諾公司的主要目標不同。」

✳

是什麼原因使你選擇這個行業？

「想像力，是想創建還沒有成型的事物，以及致力提高生活質量的願望。你認為你的設計點子不錯並能說服每個人，這是一個十分誘人的過程，你說：『這應該這樣子做。』，而他們就照你的建議去做！」

你仍認為你有社會的責任感嗎？

「是，我當然有，即使聽起來很古板，我在七十年代受教育，將所有精力投入到社會住宅的議題上，如果你看當今的教學和有關建築的雜誌，大多數是關於明星建築設計，總是有關最奇特的建築設計、最高的建設經費，看似完全無界線。」「我認為新生代建築師應該回到原點，這也是一個經濟問題，在歐洲花大錢的時代已經過去了，人們應該想想怎樣再利用舊建築，與用小尺度手法設計建築。」'

如你現在所說，社會道德感並非出於內心的信念，而主要是經濟和財務上的問題。

「對，也許是這樣。我也不確定。例如，有人對我說：『法蘭馨總是說好的建築設計應造福於社會，但她自己卻造了一座又一座紀念性建築。』，但這些都是公共建築，社會共用的建築。我總是試圖設計有助提升城市或地區生活品質的建築。」「我喜歡這樣描述我的工作：提供願景和服務。提供服務並不等同於委曲求全，我設計的建築是為了使用者和廣大群眾，這是我覺得這個職業的美好之處。」「這是建築師與藝術家的區別，建築設計不是純粹自發性的藝術，我認為作為建築師應該誠懇，藝術家為自己工作，而建築師是為大眾工作。」

什麼是願景？

「願景是一種想像，放眼未來，用另一種角度看事情，願意運用新的技術。」

為大眾設計建築聽起來有點保守，因為大眾並不一定會認同前衛概念。

「我對此並不那麼悲觀，如果你清楚地解釋你的意圖，並帶著他們一起前進，人們都願意跟從你，即使是他們沒有概念的建築。」

但給人的印象，似乎你已不再做住宅類型的建築。

「這並不正確，我們麥肯諾一直持續設計住宅，開始的時候我們80%的項目是住宅，現在是30%，但我們從未放棄，這是與很多其他公司的不同。」「我們公司內部曾經討論過是否停止接住宅案，我說：『不，繼續作下去，這讓我們保持人性關懷的本質，況且我們做得很好，我找不到任何原因停止。」

萊里達
文化中心以石
材立面的顏
色與西班牙
大地相同。

De natuurstenen gevel van La Llotja de Lleida heeft de kleur van de Spaanse aarde.

The natural stone facade of La Llotja de Lleida is the colour of the Spanish earth.

「建築設計是個很
複雜的職業。
你必須有豐富的
知識，十分豐富的
知識，最佳的
作品只會在
50歲後出現。」

「我在將建好的建築
交接給使用者後，
總是十分憂鬱，
就像你養大的孩子不
可避免地各自去走
自己的路一樣，
我總是想，
我希望他們好好照顧
這些建築物。」

為什麼公司對此有討論？

「嗯，因為其他類型建築設計更容易引人注目，如果你不注意，很容易就會被吸到那個旋渦裡，我不想這樣。我希望持續在各種建築類型上努力。」

你擅長與大家「一起」工作嗎？

「我認為是。這個職業不可能一個人完成，有人假裝可以，但你不應該相信他們，例如伯明罕圖書館這個工程，有五、六十人同時工作，我就像是船長般，必須把前景弄清楚，並同時考量每一個人提出的建議。」

但你在這方面很擅長嗎，例如在傾聽方面？你似乎不太有耐心。

「我的思緒跳躍，這是事實。我的缺點在於思緒太快，又無法帶著大家一起經歷所有思考過程，但我可以傾聽。」

你給人的印象是你常常同時做三件事情，或是四件。

「可能是十件。我認為我很會傾聽，但在聽的同時我過濾出我可以用的內容，這也許會留給人一個不良聽眾的印象，但你要記住，如果我不是有選擇地聽，我會收到過多訊息。」「我能很簡潔，簡要地處理事情，我每天都收到很多電子郵件，大多數是員工發來的，我通常只用『是』或『不』來答復，不比這多，有些人必須適應這一點。」

你是否很強勢？

「嗯，在很多方面我處理得很好，因為我有很多經驗，但我時間有限，這樣會留下強勢的感覺，一方面我認為：只要事情很順利，我們不需要無止盡地爭論這個問題。」「若你有不同意見，你必須提出來，這也是我希望身邊的人能夠做得到，在麥肯諾有25個國籍的員工，但並不是每個國家都有無視工作職稱，並提出相反意見的文化習慣。」

你為什麼有25個國籍的員工？

「麥肯諾是世界著名的公司。這使人們願意在麥肯諾工作。這也是我有意識的策略。」「我們有80至90人在麥肯諾工作，你可以想像我們有大約25個建築工程師（非建築師），他們幾乎都是荷蘭籍男性，他們是我的支柱，他們對麥肯諾的穩定性起著極重要的作用，然後就是後勤人員，也都是荷蘭人，幾乎全是女性。其他是設計師、城市規劃師、景觀建築師和建築師等，他們來自世界各地，最棒的是整個組合，這樣一來我們世界各地都有朋友，有來自於遙遠國家的優秀員工，有男有女，這樣經營公司真是太棒了，我向大家推薦。」

＊

　　她總是把創新當作自己的任務，從商業角度來說這並不明智，很多建築師在他們年輕的時代已經發展形成某種風格，一旦找到自己的風格，便確定了從現在到將來的風格，無論是在當地還是遙遠的國度，或許細節上需要琢磨，一旦整套成熟，形成的風格會固定下來並在國際市場上販售。

　　她說：「在臺灣我們與造船業合作以發展出一種特殊建築語彙，我們以前從未做過。在萊里達我想用西班牙的泥土建造，我們找到一種有西班牙大地質感的石材。有的建築師也許會說：『我的風格就是我的風格，無論是在臺灣還是在西班牙。』」

　　「我們經常相互告誡，只要我們是經濟上無虞的公司，即使持續投入創新的設計，剛好有點盈餘，那就行了。」

　　對於只追求奪目耀眼和誇大的建築設計風格，她客氣地批評：「這不是我的作風。」，「我尊重這些作品，但感覺像是一種不停地尋找有大錢客戶的建築語彙。」

　　這個看法也在她發表的一篇帶批判性文章中體現出來，標題是「權力的僕人」。

　　文章的由來是這樣，她在聖彼德堡講演，順便她抽空去看新的Gazprom總部大樓的競圖成果展覽，要求是300米高的超高層大樓，投標者淨一色是建築設計行業裡的頂尖建築師。她邊走邊想：她的同行在這裡幹什麼？他們為什麼跟隨一個誤導的想法，在如此美麗的聖彼德堡建造一個300米高的大樓？

　　她反對誇大的設計主題，以及著名同行對當權者附和的決定。

　　她將她對此的反感寫在一個全國性報紙的一個專欄裡，得到的反應總是臆測她嫉妒那些著名建築師，並影射她若有機會做這些案子，也不會拒絕。

　　她對此反駁：「我在伯明罕或臺灣所做的案子，不需要對特定權勢屈膝附和，我將民主自由的理念帶進設計概念中，讓大眾都能從中受益。」

　　專欄無聲無息地停了，辯論被迫提早結束。她無可奈何地聳了下肩膀，她還想說的是，在她的年代，她是指在她大學期間，做法會完全不同，那時候一定會組織辯論晚會，對參加像Gazprom辦公大樓這種誇大賣弄專案的投標者提出評論，奇怪的是：參加競爭聖彼德堡辦公大樓設計的頂尖建築師們應該是跟她同一時期受大學教育，都是在70年代，你或許也會想到：他們應該很清楚這些看法。

建築經由激烈的競圖後產生，特別是國際招標的案子，程序很簡單，誰想中標，就必須投標，附上設計圖紙和模型，由評審決定。到此為止是理論上的程序，現實卻複雜得多，競圖常常伴隨著法條迷宮和激烈爭鬥。

法蘭馨・荷本認為她能承受失敗，「只要競爭是公平的。」她是什麼意思？簡而言之：「在我這個行業裡，有時你會感覺有人暗中操作。」

她曾經和其他建築設計公司一起對鹿特丹新市政大樓競圖結果進行法律訴訟，但卻輸了，不止是競圖失敗，連官司也輸了。她衷心希望贏得此專案，鹿特丹終究是她的城市，她在大學畢業後就住在那裡，提交的設計也符合鹿特丹市民對市政大廳的期望，甚至比要求設計水準還更高，麥肯諾到底還是輸了，也只能接受了，法蘭馨・荷本認為最讓人氣憤的是怎麼輸的，項目發起人利用一個十分聰明的法律竅門改變競圖要求，這樣一來，一個並不符合預算要求的公司贏得了本專案，這很傷人。

✳

她的事業從未基於任何事先計畫，事情就這麼一一發生了，她開始時是理想主義大於企圖心，不管如何，她的事業達到了一定層次，甚至包含許多國際案，對她來說就像是順理成章。她希望對生活環境產生正向變化的助力，聽起來像是一種企圖，但在荷蘭這麼小的國家可能性是有限的，這樣一來，世界就自然成了她的舞臺。

這需要時間，同時也因為在國際市場上操作需要符合特別的要求，特別是公司本身，這必須小心處理，不然邁出這一步的風險太大。

那麼她在荷蘭有什麼企圖無法達成？在幾番詢問之後才她才舉出個例子，她希望能設計改建阿姆斯特丹的國家博物館。「我很希望，也有這個能力。」，但她不想嘀咕下去。她只想說明她為什麼要跨出荷蘭。

在2003年，她以極大的熱情策劃了第一屆鹿特丹國際建築設計雙年展，當時她已經是英國皇家建築師協會的榮譽會員，她已經在全世界作了二十年的講座，她在國際上已佔有一席之地。但是，雙年展還是對她的成長起了很大作用。

整個工作過程如史詩般壯麗，她必須在一年半之內想出一個尚未存在的新概念，她希望那是一個帶有研究性質的雙年展，以移動性作為中心主題，探討都市建設和建築設計間的介面與領域。

双年展成功地吸引了世界十个城市的设计师和研究人员，著名人士如扎哈・哈迪德（Zaha Hadid）、汤姆・梅恩（Thom Mayne）、

「我的缺點在於思緒太快，又無法帶著大家一起經歷所有思考過程，但我可以傾聽。」

格萊克·林（Gregg Lynn）、奧蒂勒·戴克（Odile Decq）。他們依主題發展展覽內容，鹿特丹因此特別繁忙了整整兩個月，平面與出版品紛出，以及建築師、工程師、交通專家、都事設計師、景觀設計師和學生之間的討論。

她在這麼多年之後仍把這次活動當作她人生中最大的成就。「我都垮了，但收穫豐富。」

她並不依賴於得到認可，她說。但她也坦誠地補充：「人對讚賞永遠不會滿足。」

她在這充滿競爭的冷酷世界裡吃得消嗎？

她胸有成竹：「我總是著眼於我的目標。我知道在實現目標的過程中會遇到挫折。這是自然的，但目標永遠不變。」

「我已經達到一生中所有想達成的目標，我從未忘記在學生時代想去拜訪特別的住宅和建築師，總是衣著整齊並有禮貌地按門鈴，也總是受到熱情歡迎。」

存在所謂的女性建築設計嗎？

「我希望以我的能力被承認，而不是因為我是女性。身為女人並不是一種成就。」

但卻能有幫助。

「我認為我會以小孩、大眾的角度看問題（譯者注：意指並不局限於女性觀點）。」

足球是男性運動。建築設計不也是嗎？

「普遍來講，是。全世界的頂尖女建築師屈指可數，這個現實暫時也不會改變，一部份是因為工作的性質，你必須一周7天、一年365天把精力放在上面，必須有藝術細胞、商務技巧、組織能力，還必須擅長溝通，我認為男性有較多時間處理上述工作。」

「同時我想：我不想用工作的觀點來談，我做我想做的事情，是男性化還是女性化的職業對我來說無所謂。」

「對這個議題，最有趣的評論是說：我是年輕建築師與女建築師的榜樣，好吧，這可以接受。」

「當然在二戰之後建造了很多醜陋的建築，無論是從建築設計，還是從都市規劃的角度來說。」，她直視遠方，說：「這都是男人造成的。」

是阿，沒錯。

她堅持十點宣言（見348頁），那是她的建築哲學觀。

她想把麥肯諾變成「人性化」，以人的甚至以孩子的角度看事物，並以這種觀點設計建築和規劃都市，當然也可以用更學術化的方式設計，但她不想，她總是嘗試想像使用者是怎麼體驗她的作品，他們有工作，孩子要上學，晚上人們回到家，家是怎樣的？他們的客廳舒服嗎？孩子在哪裡玩？她試圖想像這種生活，並試著將現有條件變得更加舒適。

她也以理性進行分析，但直覺反而是更重要的元素。人們通常認為直覺與女性相連，她覺得沒關聯，直覺跟女性根本沒有任何關係。直覺基於經驗，最重要的科學突破都是源於直覺，經驗豐富的人，直覺會比一般人敏銳與正確。

她在鹿特丹建造了墓園裡的祈禱堂，她認為這個祈禱堂是她最直覺的設計。她的童年是在羅馬天主教的薰染下度過，因此她不需要讀有關天主教教義的書籍，她只需要回想起燃香的味道，以及日光由玻璃穿過的景象。

想起來很滑稽，她竟在代爾夫特理工大學就讀，學校裡全是理工科，她和其他建築系同學們總是被看成一群成天瞎忙的人。

這種偏見似乎非常普遍，許多學校將建築設計理性化，並嘗試將建築學術化。

她說：「但是，我從不這樣認為，以前我說『一個項目』應該叫作『一個蛋糕』或『一座宮殿』，我那時候就已經用帶有感覺的詞語來談工作，那並不是建築專業的習慣。」

「建築需求不是我設計的準則，而是美感本身。有些城市或建築能在不可預知的時代演變中度過重重考驗，為什麼？因為它們本身很美，美感是我的指南，我盡力設計出有自己特色且令人難以忘懷的公共建築，我希望人們為此驕傲並覺得享受，甚至，將空間視為一種贈禮並好好珍惜。」

「我希望以我的能力被承認，而不是因為我是女性。身為女人並不是一種成就。」

＊

邁克・威特比（Mike Whitby）對伯明罕的意義就等於柴契爾夫人（Lady Thatcher）對英國的意義：正直且對大眾有巨大魅力的政治家。威特比評論柴契爾夫人：「她對既定價值進行挑戰，而大多數人的思考卻恰恰相反。」

他是伯明罕市長，伯明罕的「領袖」。至少有兩個因素標誌著伯明罕：戰爭年代的轟炸和七十年代初期徹底衰退的工業，這是英國的

第二大城市，在很多方面讓人想起英國叱吒海洋的時代，各民族在這裡定居下來並齊聚一堂。

「圖書館無疑是公眾的宮殿。」，威特比以一貫響亮和悅耳的嗓音說。「圖書館確實應該是公眾的宮殿。」，法蘭馨‧荷本附和。

威特比是歐洲最大圖書館項目的客戶，將近2億英磅的經費為此預備出來，而麥肯諾是建築師。

法蘭馨‧荷本達到建築設計的世界頂級水準。「感覺不錯。」，她說。她之前從未在英國贏得競圖，「你會因此吸取很多教訓。」，她在伯明罕贏了，「我認為他們感覺到我想為他們量身訂做一個圖書館。」

她將福斯特（Foster）、庫哈斯（Koolhaas）等建築業大名甩在身後，在市中心龐大建築工地的施工圍籬上有她如同巨星般的圖像，「你必須有特別之處才會被允許建造這個圖書館。」，她說：「我並不在意，但那是一個前提。」，她平靜地脫口而出。

她並不熟悉伯明罕。無論是萊里達的文化中心，在伯明罕毗鄰著名劇院的圖書館，或是臺灣高雄的文化地標，她都以同樣的方式去認

識這些城市—步行。在伯明罕，她在城市裡整整逛了三天。她看到的是各種建築風格的混合，砂岩、藍磚、紅磚、繁盛的年代及之後的衰退，一個由各種事件組合起來的城市。「我想創造協調性。」，她對威特比說，「在各種不同民族和工業歷史足跡之間。」

威特比說了類似的看法：「城市的潛力，是讓我們理解人的不可預測性。」，他把伯明罕看做：「基督徒、猶太人、錫克教徒、穆斯林和其他無數團體的宮殿，座落在市中心的圖書館，將會是民眾對城市認同的中心。」

威特比：「法蘭馨承諾了我們，而且她也會實踐諾言。」，聽起來並不像威脅，而更像安慰和信任。

繼臺灣的藝術文化中心之後，伯明罕圖書館是麥肯諾最大的一個工程項目。在1984年由幾個剛剛畢業的年輕建築師，一同開始的探險人生，在30年後已經發展成一個有實力、有名望的公司。

她又談及創業之初，我們不應該認為她會忘本，忘記社會住宅，她一直認為這種建築類型對該專業起著關鍵作用，早期她和充滿熱情的夥伴一起完成社會住宅，無疑是設計思考的轉捩點。她畢業設計的主題是「社會住宅也是建築設計的重要課題」，當時是新概念，她說：「麥肯諾在改變建築思想意識方面起了很重要的作用。」

「我將世界變得更美好了一點。」，她微笑著說。她似乎對自己如此大膽有些靦腆，但還是繼續說：「我是這樣認為，我將世界變得更美好了一點。」

5

Bijlmerpark

**Bijlmerpark, Amsterdam,
Nederland (2011)**

Bijlmerpark, Amsterdam,
The Netherlands (2011)

拜爾莫公園，阿姆斯特丹，
荷蘭（2011年）

De Bijlmermeer is een grote uitbreiding van Amsterdam uit de recente jaren zestig en zeventig. De gemeente is al geruime tijd bezig met plannen de Bijlmermeer te revitaliseren. Deel van de vernieuwingsstrategie is de omvorming van het bestaande Bijlmerpark tot een nieuw stadspark met zevenhonderd woningen en zes hectare sportvoorzieningen.

In 2011 is het Bijlmerpark in gebruik genomen, een echt stadspark waar in de nabije toekomst woningen met golvende bewegingen het park zullen omzomen. De Bijlmer Bomen Rand vormt de overgang tussen park en woningen: een zwevende omranding van gekapte bomen op roestvrij stalen pootjes met acht poorten naar het park.

Slingerende paden verbinden het 'culturele' noordelijke deel met het 'natuurlijke' zuidelijke deel dat gekenmerkt wordt door veel water, oeverplanten, bruggetjes en een vlonder. In het park staat een heel scala aan grote karakteristieke bomen, zoals de Mammoetboom en velden met bijzondere bomen zoals bloeiende magnolia's. In het Bijlmerpark kun je alle seizoenen zien en ruiken.

De sportvelden voor georganiseerde sport liggen centraal in het park omringd door boompartijen. Langs het hoofdpad liggen vrij toegankelijke sport- en spelvoorzieningen voor jong en oud. Een ruim zeven meter hoge heuvel begroeid met vlinderstruiken zorgt voor een prachtig uitzicht.

The Bijlmer area is a large urban expansion of Amsterdam that came out of the late sixties and seventies. For quite some time, the municipality has been working on plans to revitalise the area. Part of this urban renewal strategy involves the transformation of the Bijlmerpark into a new urban park with seven hundred homes and six hectares of sports facilities.

In 2011, Bijlmerpark opened to the public, a real city park where in the near future, residences will define the undulating edges of the park. The Bijlmer Trees Edge marks the transition between park and residences: a floating border made of felled trees resting on stainless steel legs with eight archways into the park.

Paths wind like elegant ribbons through Bijlmerpark and connect the 'cultural' northern part of the park with the 'natural', southern part with a lot of water, colourful plants, bridges and a deck over the water. Bijlmerpark features a range of distinctive trees, large trees like the giant sequoia and fields of special trees such as flowering magnolias. In Bijlmerpark you can see and smell every season.

Playing fields for organized sports are located in the middle of the park surrounded by trees. Along the main path are freely accessible sport and play facilities for young and old. A seven-meter high hill covered with butterfly bushes provides a magnificent view.

拜爾莫是阿姆斯特丹在六、七十年代的新開發區域，市政府計劃更新拜爾莫區已有好一段時間，計劃一部分是將現有的拜爾莫區改建成有700個住宅和占地6公頃體育設施的新城市公園。

全新的拜爾莫公園在2011年正式開放，當地的居民將會自行定義出公園的界線。樹林圖案的不鏽鋼欄杆與八個拱門入口，界定出住宅區與公園之間的模糊界線。

絲帶般的人行步道優雅地穿梭在拜爾莫公園內，連結北半邊的「文化」主題與南半邊的「自然」主題，之間還有大量水景、彩色植栽、橋與水上平台點綴，公園內還有許多特殊樹種，如巨大獨特的紅杉及一大片玉蘭花，讓人們在拜爾莫公園四季中都有不同的感官享受。

運動與遊戲場配置在公園正中央，週圍以樹群圍繞，在主要路徑兩旁是完全開放的兒童遊戲與標準運動場地，而一旁7公尺高的土丘上，特別種植引蝶的花灌木，提供公園另一個優美景緻。

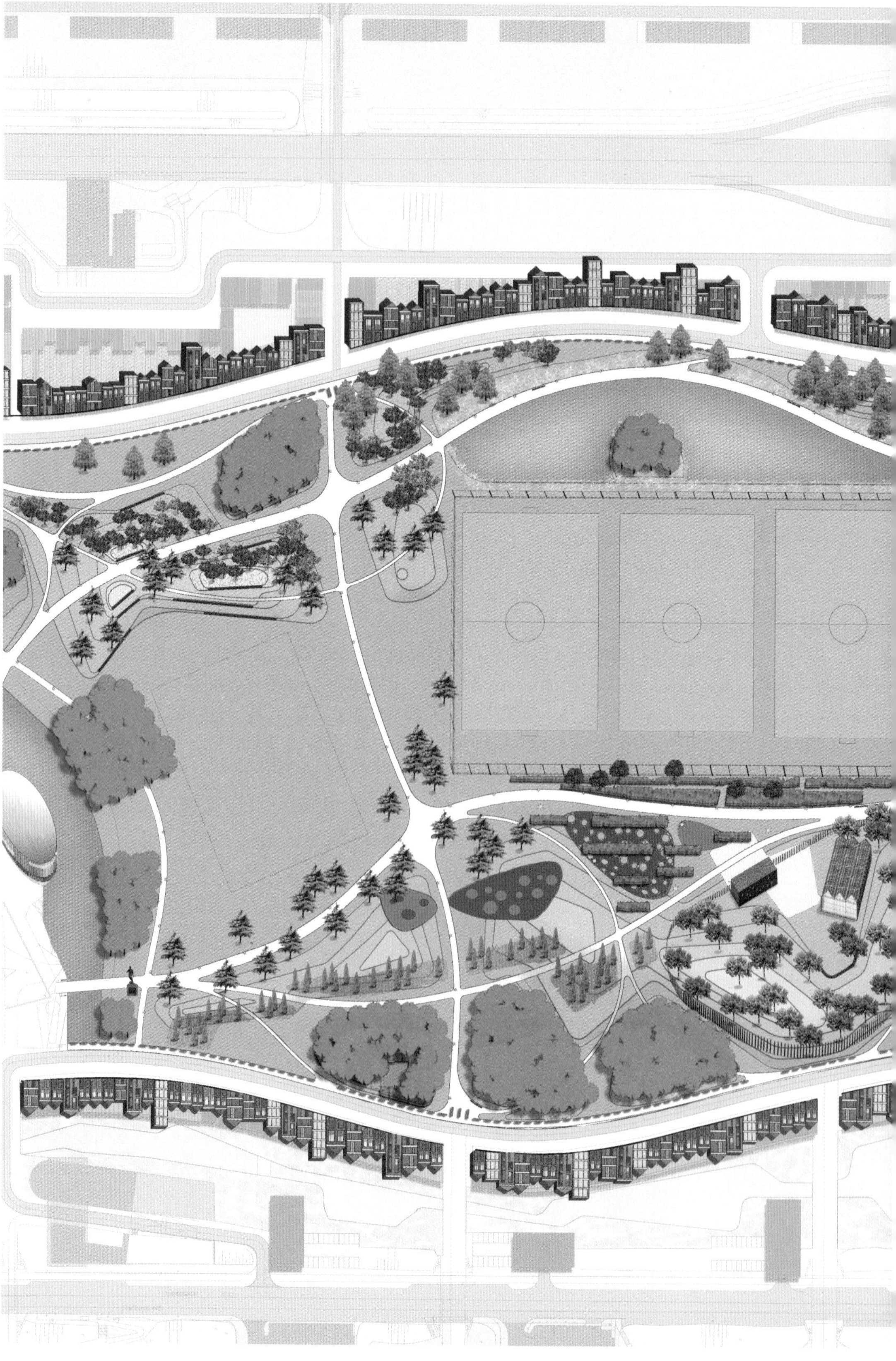

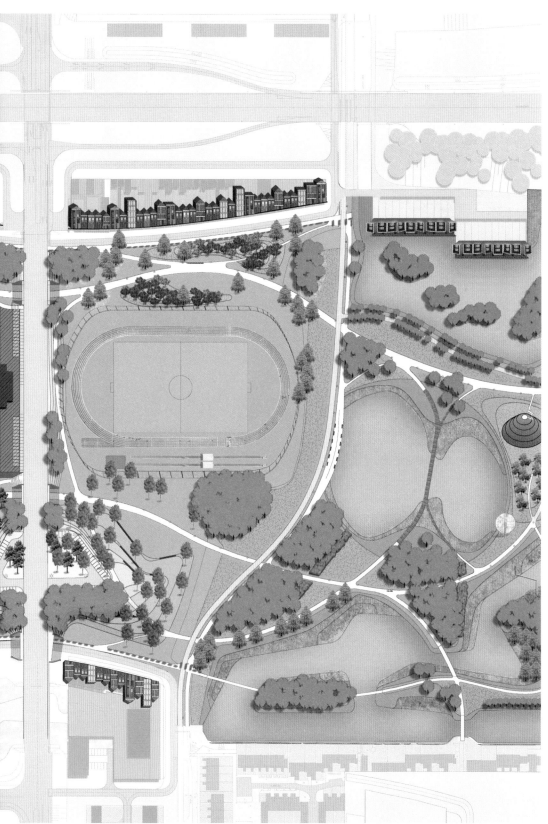

Bijlmerpark is ontworpen als een ervaring die de zintuigen beroert: je ruikt de lente, je ziet kleuren verschieten tijdens de seizoenen, je ervaart de diversiteit aan bomen, struiken, planten en kruiden, je hoort de vogels zingen.

Bijlmerpark is designed to touches the senses: you can smell the spring, see colours change over the seasons, experience the diversity of trees, bushes, plants and herbs, and hear birds sing.

拜爾莫公園被設計為感官享受的場域，聞到春天的氣息，看見顏色隨著季節變換，經驗生態的多樣性，喬木、灌木、植栽、香草、與鳥叫。

AMSTERDAM 阿姆斯特丹

NEDERLAND／THE NETHERLANDS／荷蘭

BIJLMERPARK 拜爾莫公園

De Bijlmermeer, waar tegenwoordig bijna 100.000 mensen met meer dan 150 nationaliteiten wonen, is ontworpen in de jaren zestig. De wijk wordt gekenmerkt door hoogbouw van tien verdiepingen in een kenmerkende honingraatstructuur. Het nieuwe Bijlmerpark is onderdeel van de transformatie van deze wijk.

The Bijlmermeer neighbourhood, which today houses almost 100.000 people of over 150 nationalities, was designed in the sixties as a series of nearly identical high-rise buildings laid out in a hexagonal grid. The Bijlmerpark is part of the transformation of this neghbourhood.

拜爾莫斯社區有來自150
個國家的10萬居民，在60年
代規劃興建，全區配置相同的
高層住宅於六角形的格子中。
拜爾莫斯公園是整個社區改造計
劃的一部分。

AMSTERDAM 阿姆斯特丹 NEDERLAND/THE NETHERLANDS/荷蘭 BIJLMERPARK 拜爾美公園

206

Uitzicht vanaf de vlinderheuvel.

View from the butterfly hill.

在「蝴蝶丘（de vlinderheuvel）」的景致。

AMSTERDAM 阿姆斯特丹   NEDERLAND/THE NETHERLANDS/荷蘭   BIJLMERPARK 拜爾莫公園

216

Elegant lanes and bridges meander along solitary trees, water, small islands and loping hillocks.

Elegante paden en bruggen slingeren zich langs solitaire bomen, waterpartijen, eilandjes en glooiende heuvels.

優雅的小徑和小橋在
樹群、水景、小島和土丘
之間穿梭。

公園南側是個包含大量水體、
橋樑與彩色植栽的自然生態公園。

The southern part of the park is
a nature park with a lot of water
and large fields with colourful
plants and bridges.

Het natuurpark in het zuidelijk
deel kenmerkt zich door veel
water, kleurrijke velden met
oeverplanten en bruggetjes.

222

Rond de sportvelden staat een
bijzonder gevlochten 'kanten' hekwerk
met bijzondere patronen en decoraties.
Het is ontworpen door kunstenaars.

Artisanal braided 'lace' fence
work decorated with patterns
surrounds the sports fields.

運動公園以手工編織的圖案蕾絲
包圍。

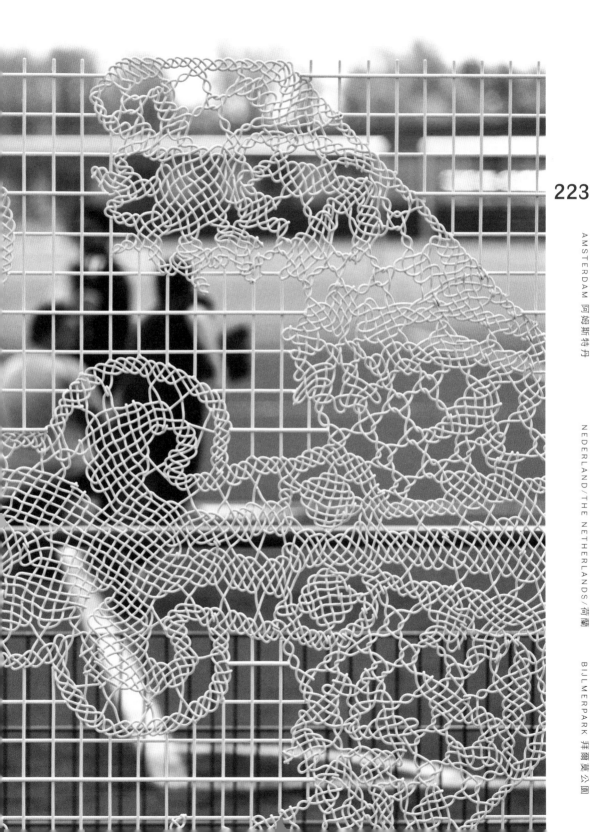

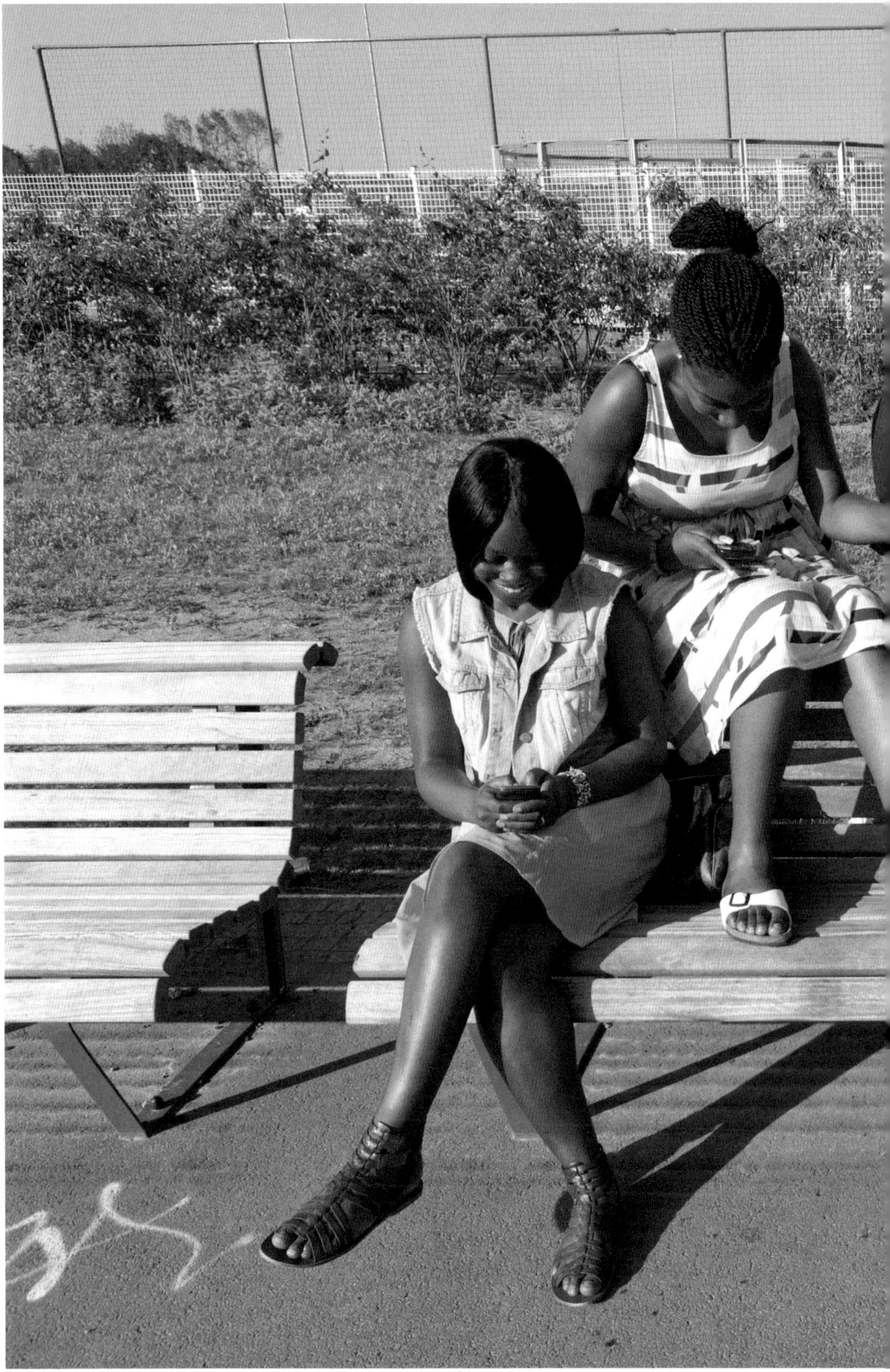

De sportvelden voor
georganiseerde sport
liggen centraal in het
park omringd door
boompartijen.

227

Sports fields for
organized activities are
located in the middle of
the park.

運動公園位在全區的中央。

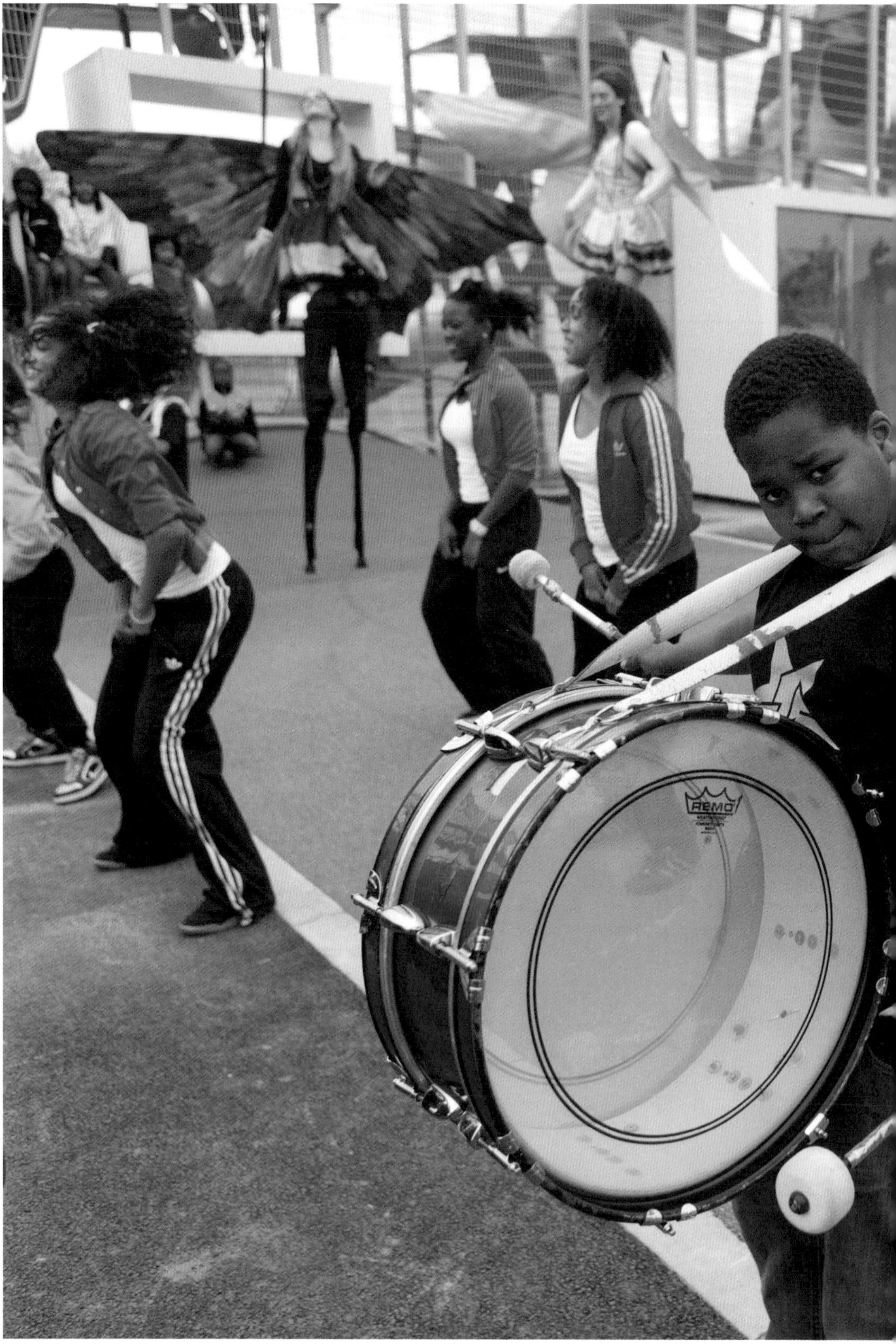
REMO

Bijlmerpark is een park voor de buurt met een grote diversiteit aan plekken voor verschillende doelgroepen.

Bijlmerpark is a park for the neighbourhood featuring a great diversity of areas for different interests.

為這個社區特別莫許公園的，包含許多不同使用機能的區域，滿足各種使用需求。

設計階段即考量各兒童年齡
層的需求，配置各種休閒區與遊
戲區。

The park is designed with children of all
ages in mind and features a variety of
recreation and play areas.

Het park is bedacht voor
kinderen van alle leeftijden
met vele speelmogelijkheden.

AMSTERDAM 阿姆斯特丹

NEDERLAND/THE NETHERLANDS/荷蘭

BIJLMERPARK 拜爾莫公園

Dit is het natuurpark, het
ecologische deel van het park waar
je de vogels kan horen zingen.

Nature park, the ecological area
of the park where you can hear
the birds sing.

生態公園，這裡是聆聽
鳥鳴的最佳場所。

6

Wei-Wu-Ying
Center for the Arts

Wei-Wu-Ying Center for the
Arts, Kaohsiung, Taiwan
(2014 oplevering)

Wei-Wu-Ying Center for the Arts,
Kaohsiung, Taiwan (2014 completion)

衛武營藝術文化中心，
高雄，臺灣（2014年完工）

Dit voormalige kazerneterrein is de locatie voor een concertzaal, een operahuis, een theater, een kleine concertzaal en een openluchttheater. Het telt in totaal 6.000 zitplaatsen en beschikt over de modernste theatertechnieken.

Het Wei-Wu-Ying Center for the Arts wordt het nieuwe icoon van het 1,5 miljoen inwoners tellende Kaohsiung, de grootste havenstad van Taiwan. Het omliggende 65 hectare grote park maakte deel uit van de ontwerpopgave.

Belangrijke inspiratiebron voor Mecanoo architecten zijn de eeuwenoude Banyanbomen, die behoren tot 's werelds grootste bomen.

Het gebouw van Mecanoo is 225 meter breed en 160 meter diep. Door de openingen in het dak, de passages en open ruimtes ontstaat een bijna poreus gebouw waar interieur en exterieur samenvloeien. Het deels met gras en planten bedekte dak zorgt voor een natuurlijke en efficiënte koeling van het gebouw in het subtropische klimaat. Het grote dak creëert een informele, publieke ruimte om te flaneren, tai chi te beoefenen, te mediteren of te relaxen. Waar het dak de grond raakt, wordt het een openluchttheater dat plaats biedt aan duizenden bezoekers.

This former military terrain is the location for a concert hall, opera house, theatre, recital hall and an outdoor theatre. It has a total of 6,000 seats and features the most modern theatre design and technology.

The Wei-Wu-Ying Center for the Arts will become the new icon for the 1.5 million residents of Kaohsiung, the largest harbour city in Taiwan. The surrounding 65 hectare park is part of the design brief.

An important source of inspiration for Mecanoo's design are the ancient banyan trees, which are among the world's largest trees.

Mecanoo's building is 225 meters wide and 160 meters deep. Openings in the roof, passageways and open spaces create an almost porous building where interior and exterior merge. The partially grass and plant covered roof creates natural and efficient building cooling in the subtropical climate. The large roof also creates an informal public space underneath where the city residents can stroll, practice tai chi, mediate or just relax. Where the roof touches the ground an open-air theatre is created that can accommodate thousands of visitors.

原軍事基地重新利用，新建一個歌劇院、一個音樂廳、一個中劇院、一個演奏廳，總共有6000席，及一個戶外劇場，都擁有最先進的劇場設計與設備。

衛武營藝術中心將成為擁有150萬人口、臺灣最大港口城市—高雄的象徵，周圍占地65公頃的公園也在競圖設計範圍之內，對麥肯諾最重要的靈感來源，是基地上的老榕樹群，該樹屬於世界上最大的樹種。

麥肯諾設計的建築體有225公尺長、160公尺寬，建築屋頂的開口、開放的通道及大型開放空間，使之成為一個室內與室外景致交融在一起的多孔建築。部分由植栽覆蓋的房頂以自然而有效率的方式冷卻這棟亞熱帶氣候建築，廳院間有遮蔽的公共空間—榕樹廣場，讓整棟建築成為相當通透的量體，室內與室外之間的層次輕盈豐富，讓大眾在不受豔陽與風雨的影響下，穿梭於廳院之間，打太極等運動，或只是輕鬆一下。在房頂與地面交接處是可容納數千觀眾的戶外劇場。

Het 1,5 miljoen inwoners tellende Kaohsiung is een van de grootste havensteden van de wereld. Met de bouw van het Wei-Wu-Ying Center for the Arts wil de stad haar omslag symboliseren van een havenstad naar een moderne, culturele stad.

With 1.5 million inhabitants, Kaohsiung is one of the largest harbour cities in the world. By building the Wei-Wu-Ying Center for the Arts, the city will manifest its evolution from a harbour city to a modern cultural city.

高雄是世界最大的港口城市之一，居民約150萬人，藉由興建衛武營武藝術文化中心，造個城市將正式宣佈轉型為文化之都。

因熱帶氣候城市天色較早暗，
燈光是日常生活相當重要的元素。

Lighting plays a crucial role in
this tropical city where it gets
dark early.

Kunstlicht speelt een belangrijke
rol in deze tropische stad waar
het vroeg donker wordt.

因白天日照炎熱，到晚間才是街
道生活最活絡的時候。

Because of the daytime heat,
daily street life takes place
in the evenings.

Een groot deel van het dagelijks
leven vindt 's avonds plaats op
straat, vanwege de warmte overdag.

246

在高雄，公共空間經常
成為非正式的舞臺，因此設
計衛武營藝術文化中心時，
將「榕樹廣場」這個留給防曬、
防雨的空間留給太極、舞
蹈、冥思、街舞等活動。

In Kaohsiung, public space
becomes an informal stage. In
Banyan Plaza in the Wei-Wu-
Ying Center for the Arts, tai
chi, dance, meditation and
street dance are all happening,
protected from the sun and rain.

In Kaohsiung wordt de
openbare ruimte gebruikt
als informeel podium. In de
Banyan Plaza in het Wei-Wu-
Ying Center for the Arts kan
op informele wijze dans, tai
chi, meditatie en street dance
worden beoefend, beschut
tegen zon en regen.

Scooters are the primary means of transportation in the city. Meanwhile, a metro system is being constructed.

Scooters zijn het belangrijkste transportmiddel in de stad. Inmiddels is er een metrosysteem aangelegd.

250

KAOHSIUNG 高雄

TAIWAN 台灣

CENTRE FOR THE ARTS 衛武營藝術文化中心

252

主體建築包括四個劇院，以及受榕樹所啟發的開放空間「榕榭廣場」，全部覆蓋在一片屋頂之下。

The complex is composed of four separate theatres. The roof is a spacious truss that not only covers the theatres, but also creates an open-air lobby, the Banyan Plaza, inspired by the tropical Banyan tree.

Het theatercomplex is opgebouwd uit vier losse zalen. Het dak is een ruimtelijk vakwerkspant dat niet alleen de zalen overkluist, maar ook een openluchtfoyer creëert, de Banyan Plaza, geïnspireerd op de tropische Banyanboom.

KAOHSIUNG 高雄　　TAIWAN 台灣　　CENTRE FOR THE ARTS 衛武營藝術文化中心

254

複雜的曲面建築外殼，
是利用當地的造船工業技術
來建造。

Techniques used in the local shipping
industry are being used for the
construction of the façade.

Voor de gevelconstructie
worden technieken
gebruikt uit de locale
scheepsbouwindustrie.

De bouwvakkers beschermen zich tegen de zon.

Construction workers protecting themselves from the sun.

施工人員的
防曬方式。

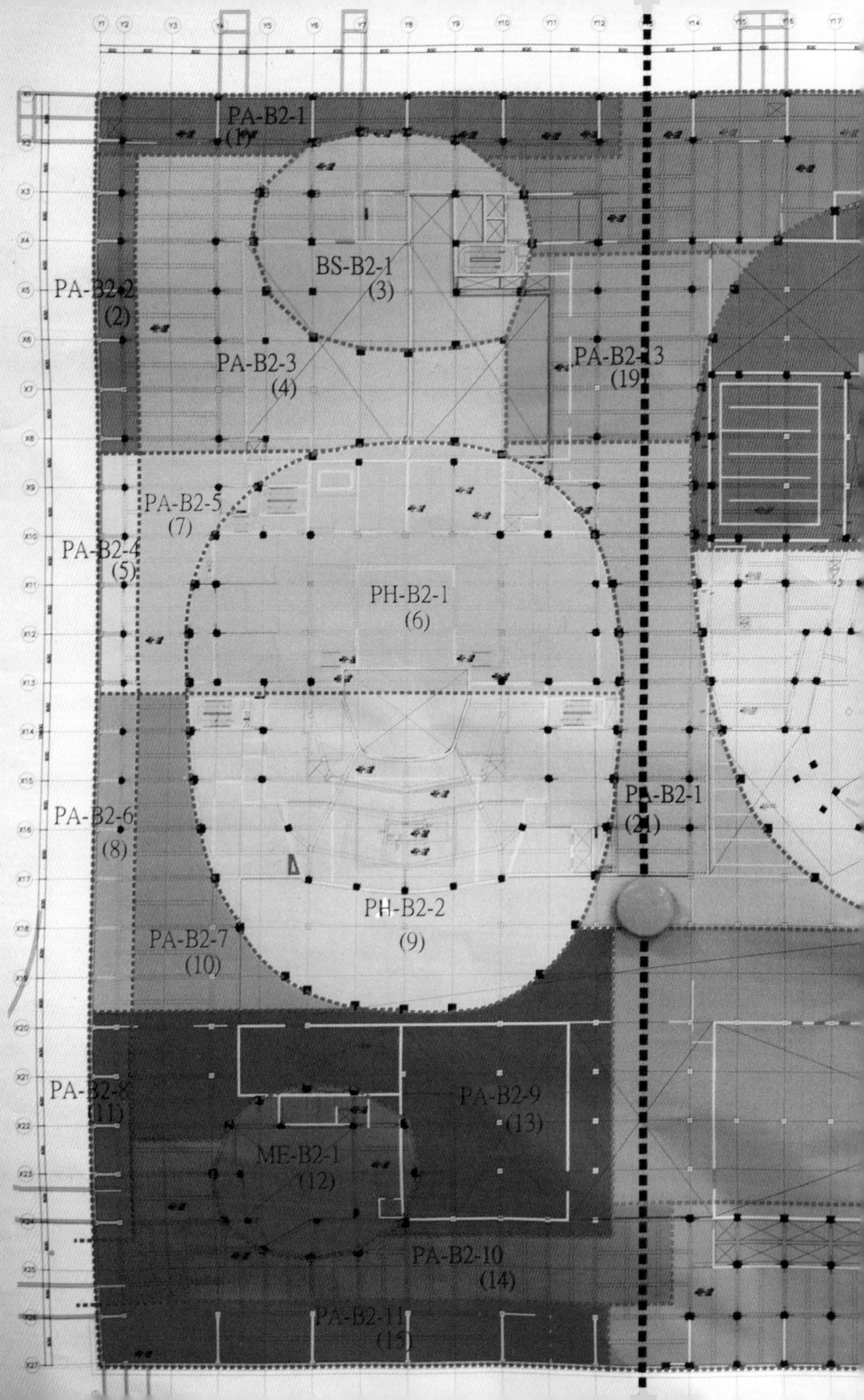

鋼構分區施工圖。

Scheme of the
construction order for
the steel work.

Schema van de
bouwvolgorde van
het staalwerk.

PA-B2-1
(1)

PA-B2-2
(2)

BS-B2-1
(3)

PA-B2-3
(4)

PA-B2-13
(19)

PA-B2-5
(7)

PA-B2-4
(5)

PH-B2-1
(6)

PA-B2-6
(8)

PA-B2-1
(21)

PH-B2-2
(9)

PA-B2-7
(10)

PA-B2-8
(11)

PA-B2-9
(13)

ME-B2-1
(12)

PA-B2-10
(14)

PA-B2-11
(15)

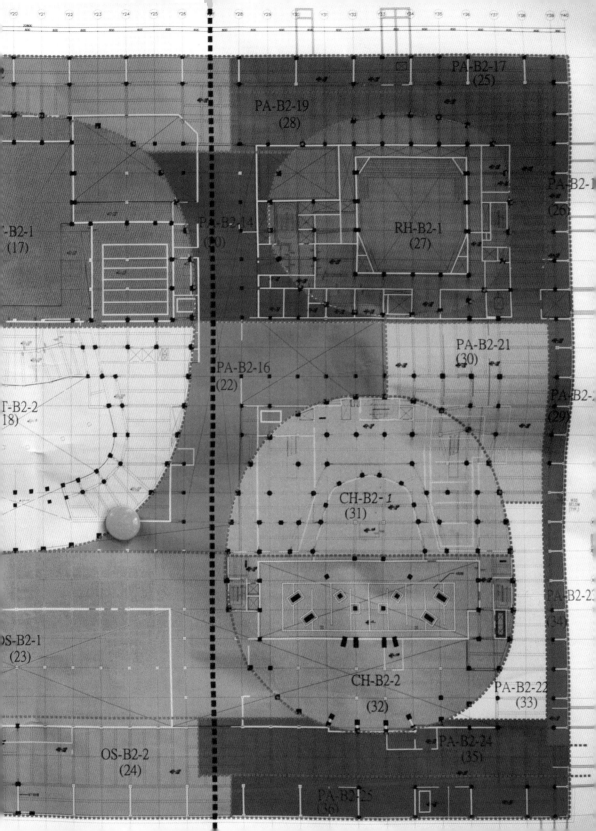

Overleggen met de opdrachtgever en bezoek bouwplaats.

Meetings with the client and site visit.

與業主開會，視察工地。

參觀高雄當地的造
船廠。

Meeting at one
of Kaohsiung's
shipping yards.

Overleg op een van
de scheepswerven
van Kaohsiung.

為達到最佳音響效果，
全案造型最複雜的2000席音
樂廳，特地建造1:10音響測試
模型。

To perfect the complex acoustics in the 2000
seat concert hall a 1:10 physical model of
the largest and most complex hall in the
theatre was constructed.

Van de concertzaal met 2000 stoelen is een
1:10 maquette gemaakt om de akoestiek
van de grootste en meest complexe zaal van
het theater te testen en te perfectioneren.

1. Grote concertzaal (2000 stoelen),
2. Operahuis (2250 stoelen),
3. Theaterzaal (1250 stoelen) en
4. Kleine concertzaal (500 stoelen)

1

2

3

4

1. Concert Hall (2000 seats),
2. Opera House (2250 seats),
3. Playhouse (1250 seats) and
4. Recital Hall (500 seats)

1. 音樂廳2000席,
2. 戲劇院2250席,
3. 中劇院1250席,
4. 演奏廳500席

Belangrijke inspiratiebron voor het ontwerp zijn de eeuwenoude Banyanbomen op de locatie.

An important source of inspiration for Mecanoo's building design were the existing centuries-old Banyan trees on location.

麥肯諾的設計概念來自於基地內的百年榕樹。

KAOHSIUNG 高雄

TAIWAN 台灣

CENTRE FOR THE ARTS 衛武營藝術文化中心

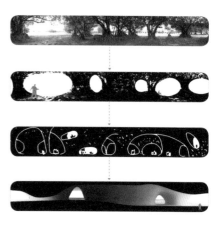

Concept (boven).

Paviljoen A Piece of Banyan, een 1:6 studiemodel van 20 x 3,5 x 4,3 meter op de Salone Internazionale del Mobile 2008 in Milaan, Italië (onder).

Concept (top).

Pavilion A Piece of Banyan, a 1:6 study model of 20 x 3,5 x 4,3 metres at the Salone Internazionale del Mobile 2008 in Milan, Italy (bottom).

概念圖（上圖）。

2008年米蘭─
the Salone Inter-
nazionale del Mo-
bile的展覽館
「榕樹的局部
（A Piece of Ba-
nyan）」是
一個六分之一
模型，尺寸20
x 3.5 x 4.3公尺
（下圖）。

總面積141000
平方公尺的主體建
築長225公尺、寬
160公尺，歸功於大
量屋頂開口，通道
與開放空間，造個
熱帶且通透的建築
類型，將建築室內
外的界線抹除了。

The 141,000 m2
building complex
is 225 metres wide
and 160 metres
deep. Because of the
openings in the roof,
the passageways
and open spaces,
an almost porous,
tropical building
is created in which
interior and exterior
blur.

Het gebouw is
225 meter breed,
160 meter diep
en telt 141.000
m2. Door de
openingen in het
dak, de passages
en open ruimtes
ontstaat een
bijna poreus,
tropisch gebouw
waar interieur
en exterieur
samenvloeien.

7

Saint Mary of the Angels Chapel

Kapel Heilige Maria der
Engelen, Rotterdam, Nederland
(2001)

Saint Mary of the Angels Chapel,
Rotterdam, The Netherlands (2001)

聖瑪莉亞天使祈禱堂，
鹿特丹，荷蘭（2001年）

In het centrum van Rotterdam ontwierp de architect H.J. van den Brink in de negentiende eeuw de rooms-katholieke begraafplaats Sint Laurentius als een Italiaanse dodenak-ker: een campo santo. De neogotische kapel die bij de begraafplaats hoorde en ook de kapel uit 1963 ondervonden ernstige funderingsproblemen en moesten worden gesloopt. Mecanoo ontwierp de derde kapel, met een nieuwe fundering.

De routing van de Kapel Heilige Maria der Engelen is gebaseerd op het vertrouwen in de voortgang van het leven, ook na de dood. De ruimte heeft een organische vorm met een continue, gebogen muur, zeventig centimeter opgetild van de grond. De muur heeft een intens blauwe kleur met teksten uit het Requiem in vele talen; de begraafplaats is een plek voor de multiculturele bevolking van Rotterdam. Het dak zweeft als een gebogen vel papier boven de ruimte. Het gouden plafond wordt met kunst-licht van onderen aangestraald. Via een opening in het plafond valt een bundel daglicht naar binnen.

Kapel Heilige Maria der Engelen is als een kostbaar kleinood, een nieuwe kapel op een oude locatie, waar op subtiele wijze wordt verwezen naar wat eerder is geweest.

In the centre of 19th century Rotter-dam, the architect HJ van den Brink designed the Roman Catholic St. Lawrence cemetery as an Italian graveyard: a campo santo. The neo-Gothic chapel central to the cemetery and the later chapel of 1963 both experienced serious foundation problems and had to be demolished. Mecanoo designed the third chapel, with a new foundation.

The routing of the Saint Mary of the Angels Chapel is based on faith in the continuation of life here on earth and also after death. The space has an organic shape with a continuous, curved wall, lifted seventy centime-tres off the ground. The wall is inten-sely blue with texts from the Requiem in many languages; the cemetery is a place for the multicultural population of Rotterdam. The roof floats like a folded sheet of paper over the space. The golden ceiling reflects the arti-ficial lights from below. A stream of natural light flows through an opening in the ceiling.

The Saint Mary of the Angels Chapel is like a precious jewel, a new chapel in an old location, which subtly hints at what has come before.

建築師HJ範德布靈克（H.J. van den Brink）在十九世紀鹿特丹市中心設計了羅馬天主教徒墓地—聖勞綸斯，作為埋葬意大利人的墓地—死亡的場域。屬於該墓地的新哥德式祈禱堂及建於1963的祈禱堂都有十分嚴重的地基問題。麥肯諾設計了第三個祈禱堂，並重新施作基礎結構。

聖瑪莉婭天使祈禱堂的動線設計，是來自生命連續的概念，由生前到死後。空間本身是由連續彎曲的有機型牆面構成，牆面離地70公分，塗上強烈的藍色，手寫上各種語言的安魂曲，反映出鹿特丹的文化背景。屋頂如同一片折紙般飄浮空間之上，金色的室內天花由下往上照亮，一個天窗將一道光束帶進室內。

新的聖瑪莉亞天使祈禱堂，以鑄寫歷史痕跡的珠寶之姿，站立在一個充滿回憶的基地上。

IN LIEFDEVOLLE
HERINNERING AAN
MIJN LIEVE MAN,
ONZE VADER EN
FRITS A-ENG TJOE
★ 5-3-1935
RUST IN VREDE

Saint Mary of the Angels Chapel is situated on a 19th century Roman Catholic Cemetery. The chapel has an organic shaped form with a zinc exterior façade and a floating golden roof.

Kapel Heilige Maria der Engelen staat op een R.K. begraafplaats uit de 19e eeuw. De kapel kreeg een organische vorm met een gevel van zink aan de buitenzijde en een zwevend gouden plafond.

聖瑪莉亞天使祈禱堂位在十九世紀建造的羅馬天主教徒墓地上，有機的造型由鋅板牆面與金色懸浮屋頂構成。

l der gnade. Avé Maria, cheia de

祈禱堂的出入口設計成與牆面
等高且隱藏細部，塑造室內與室外
連續的牆面。

The chapel has high invisible
doors, creating a continuous
wall inside as well as outside.

Hoge taatsdeuren vormen de toegang tot
de kapel. Hierdoor krijgt de kapel zowel
binnen als buiten een continue wand.

E And may perpetual light shine upon them.

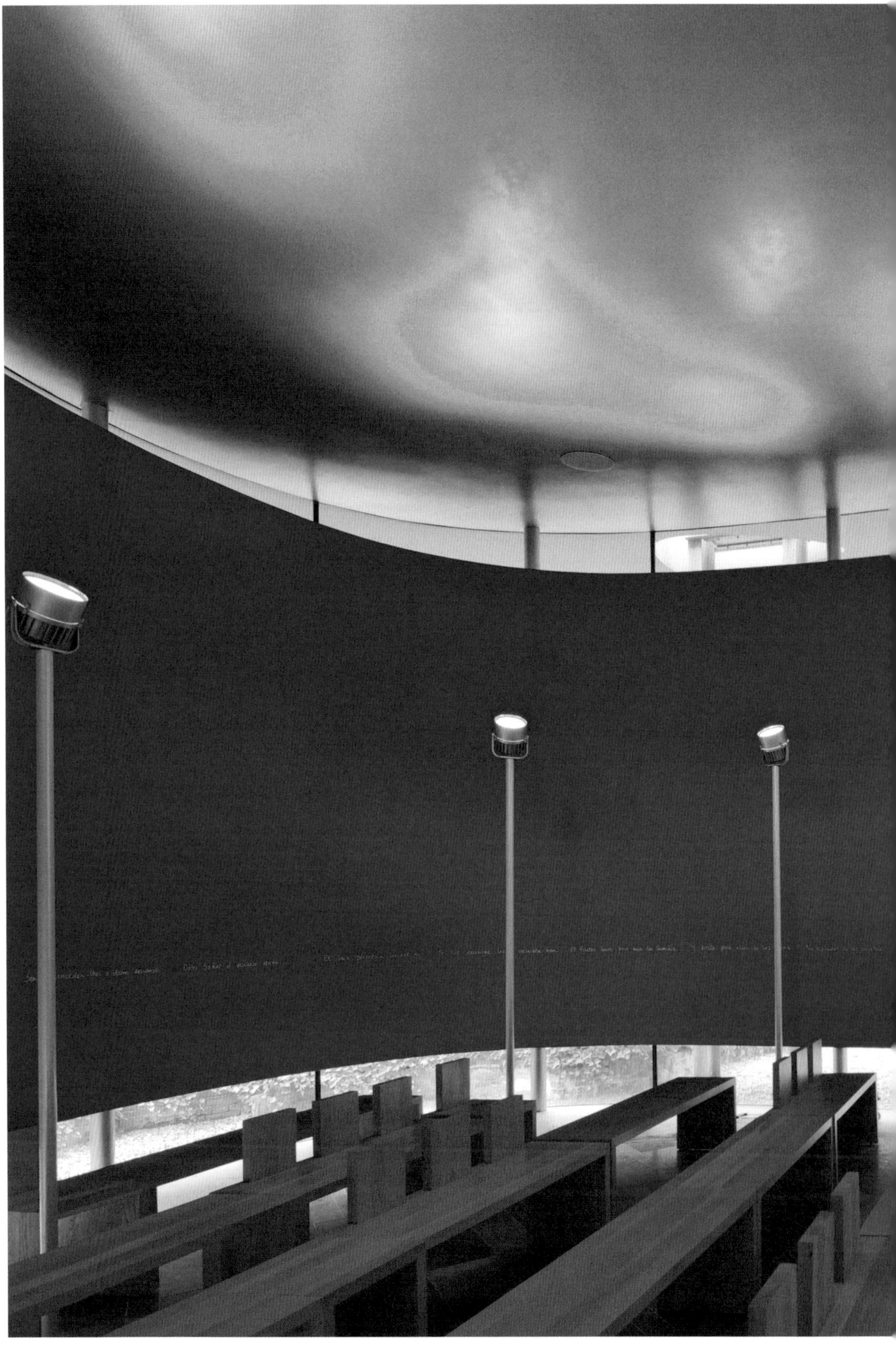

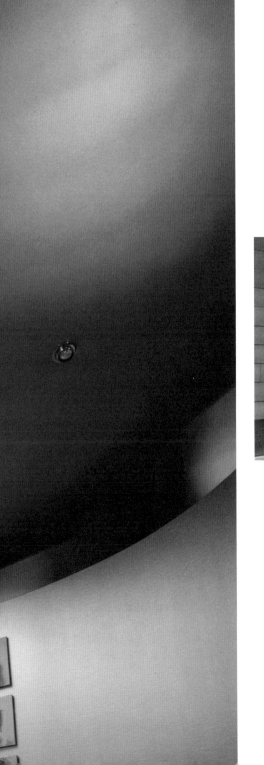

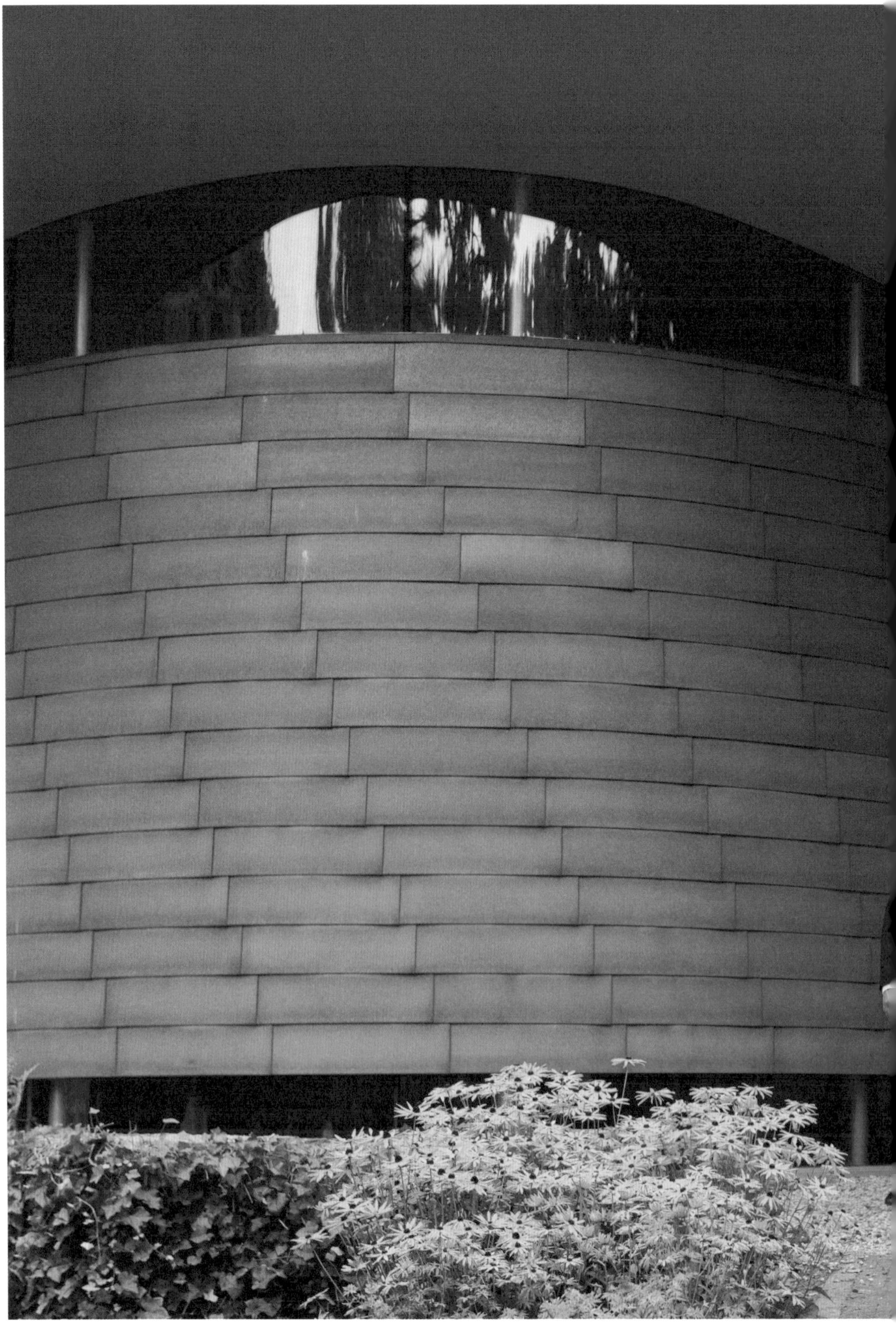

292

The chapel is situated on the exact location of two former chapels from 1869 and 1963 which had to be demolished due to foundation problems.

祈禱堂就蓋在1869年與1963年兩座舊教堂的位置之上，之前兩座建築都因為基礎結構問題必須拆除。

De kapel staat op de exacte locatie van de twee vorige kapellen uit 1869 en 1963, die gesloopt moesten worden vanwege funderingsproblemen.

8

La Llotja de Lleida

La Llotja de Lleida, Lerida,
Spanje (2010)

La Llotja de Lleida, Lerida,
Spain (2010)

萊里達文化中心
萊里達，西班牙（2010年）

Op de oever van de rivier de Segre, iets buiten het centrum van de stad Lleida is La Llotja verrezen, een groot theater en congrescentrum. Mecanoo heeft het landschap van Lleida, Lerida in Catalaans, opgevat als een boeiend decor voor het horizontale gebouw. De mise-en-scène is op drie schaalniveaus uitgewerkt: als een schakel tussen rivier en berglandschap, als uitgewogen compositie tussen rivier en stad en, door zijn uitkragingen, als beschutting tegen zon en regen.

Het grote natuurstenen bouwwerk van ruim 37.000 m² lijkt aan de Spaanse aarde te zijn ontsproten. De liggende vorm van het gebouw levert op het dak een grote tuin op. Onder de uitkragingen begint een plein voor evenementen, met de trappen van het naastgelegen gebouw als tribune.

Materialen brengen in het interieur onderscheid en oriëntatie aan. De buitenkant is van natuursteen. De binnenkant heeft vooral witte, gestucte wanden.

De regio van Lleida is beroemd vanwege fruitproductie. Het theater heeft de sfeer van een boomgaard met wanden van donker hout en daarin uitgesneden bomen van licht. Het kleurenpallet van fruit is een thema dat door het gehele gebouw in kleine details terugkomt.

Just outside the centre of the city of Lleida on the banks of the Segre River is La Llotja, a large theatre and conference centre. Mecanoo regarded Lleida's landscape (Catalan for Lerida) an extraordinary backdrop for the horizontal building. The mise-en-scene has been elaborated on three levels of scale: as a link between river and mountain landscape, balanced composition between river and city, and with its cantilevers, as shelter from sun and rain.

The large stone building of over 37,000 m² appears to have sprung from out of the Spanish earth. The building's horizontal form provides a large garden on the roof, while under the cantilevers begins a square for events, with the stairs of the adjacent building serving as a tribune. Materials ensure distinction and orientation in the interior. The exterior is of stone. The interior is mostly of white stucco.

The region of Lleida is famous for fruit production. The theatre has the semblance of an orchard with walls of dark wood, within which, cut out trees of light. The colour palette of fruit is a theme throughout the building and is repeated in small details.

在西班牙萊里達市中心不遠的塞格維（Segre River）河畔，麥肯諾設計了一座大型劇場兼會議中心—La Llotja，融入萊里達市的獨特地景中。設計概念的視覺主題可以三個尺度來描述─大尺度是將建築視為河與山的連接，城市尺度是找出劇場與河流視覺構成的平衡，街道尺度是形塑建築懸臂下的遮雨遮陰空間。

這座三萬七千平方米的大型建築以當地石板包覆立面與廣場，產生像是由西班牙土壤中孕育而生的感覺，建築的水平造型同時讓屋頂成為一個大型花園，懸挑下的遮蔭空間與側邊的戶外劇場，讓廣場成為適合舉行各種活動的場所。室內的材料提供不同機能的識別性與方向性，外部採用天然石材，而內部主要是白色的乾式牆。

因這個區域以盛產各種水果聞名，大劇院在深色木牆上挖出樹與葉子狀的照明，營造果園的氛圍，在建築內各個空間也能看到以果樹圖案與水果色彩為主題的裝修細部。

Historische kathedraal Seu Vella.

Historische Seu Vella cathedral.

Historic Seu Vella cathedral.

Seu Vella大教堂。

LERIDA/LLEIDA/莱里达

SPANJE/SPAIN/西班牙

THEATER/THEATRE/劇院

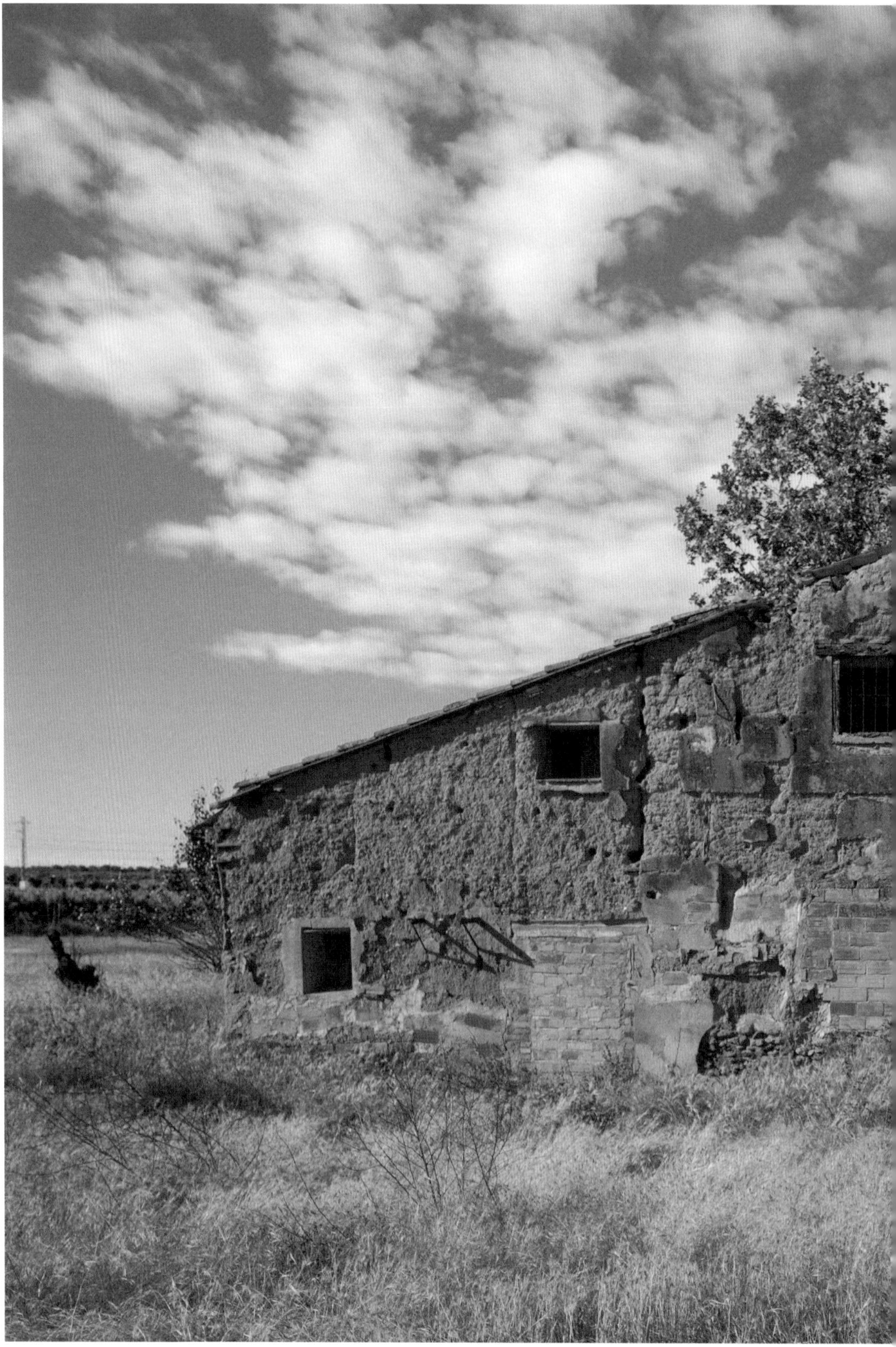

LERIDA/LLEIDA/萊里達

SPANJE/SPAIN/西班牙

THEATER/THEATRE/劇院

De regio rond Lleida is beroemd vanwege haar fruitproductie.

The region around Lleida is famous for its fruit production.

萊里達（Lerida）地區以水果生產出名。

LERIDA/LLEIDA/莱里达

SPANJE/SPAIN/西班牙

THEATER/THEATRE/劇院

306

在懸挑的大廳內可藉由
大片全景窗戶望向Seu Vella
大教堂與塞格維河。

*From the tilted foyer with panorama window
one has a spectacular view to the old Seu Vella
cathedral and the Segre river.*

**Vanuit de opgetilde foyer met panoramaraam
heb je een prachtig uitzicht op de oude
kathedraal Seu Vella en rivier de Segre.**

*La Llotja kraagt 16
meter uit boven het
plein.*

*La Llotja juts out 16 metres
above the square.*

La Llotja懸挑離地
16公尺高。

De horizontale vorm van het gebouw maakt een grote tuin mogelijk op het dak, terwijl onder de uitkragingen een plein begint voor evenementen met de trappen van het tegenover-gelegen gebouw als tribune.

The building's horizontal form allows for a large garden on the roof, while under its cantilevers begins an event square – the stairs of the adjacent building serving as a tribune.

建築的水平造型讓屋頂成為一個大型花園,懸挑下的遮蔭空間與側邊的戶外劇場,讓廣場成為適合舉行各種活動的場所。

The colour palette of fruit is a theme that recurs in small details throughout the building.

在建築內各處都可看到以水果色彩圖案為主題的裝修細部。

Het kleurenpallet van fruit is een thema dat door het gehele gebouw in kleine details terug komt.

LERIDA/LLEIDA/莱里达

SPANJE/SPAIN/西班牙

THEATER/THEATRE/劇院

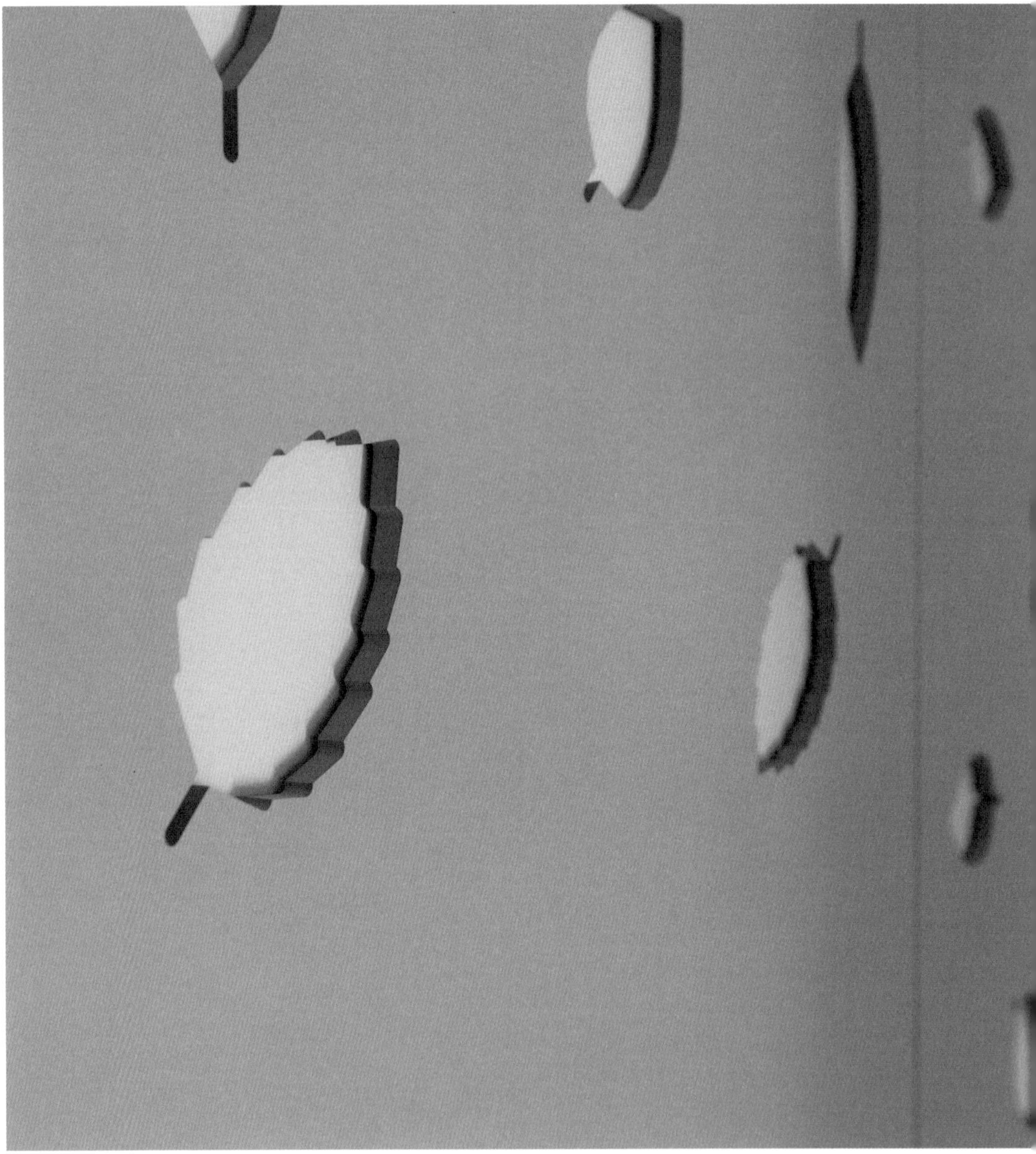

LERIDA/LLEIDA/莱里达

SPANJE/SPAIN/西班牙

THEATER/THEATRE/劇院

320

大劇院在深色木牆上挖出樹與葉子狀的照明，營造身在果園中的氣氛。

The theatre has the atmosphere of
an orchard with walls of black wood
in which trees of light have been
sliced out.

Het theater heeft de sfeer van
een boomgaard met wanden
van donker hout en daarin
uitgesneden bomen van licht.

LERIDA/LLEIDA/莱里达

SPANJE/SPAIN/西班牙

THEATER/THEATRE/劇院

*De entreehal en de lounge
op de eerste verdieping .*

*Entrance hall and lounge
on 1st floor.*

一樓大廳。

328

Duizenden blaadjes verlichten de theaterzaal met 1000 stoelen.

Thousands of leaves light the 1000 seat theatre hall.

數以千計的葉子照亮1000席的大劇院。

's Avonds toont het gebouw haar
verrassende en kleurige interieur.

In the evening the building shows its
surprising and colourful interior.

到了晚上，建築以驚奇地與奇色彩色地面貌
呈現。

De daktuin met lounge heeft een spectaculair uitzicht op de oude kathedraal.

The roof garden with lounge features a spectacular view of the old cathedral.

屋頂花園有各種休息室的機能，還有大教堂的美好景色。

Montevideo, Rotterdam

Programme:
Tower of 152,317 m² with total floor area of 57,530 m² of which 36,867 m² apartments, 905 m² pool, fitness and service space, 6,129 m² offices, 1,608 m² retail and a parking garage of 8,413 m²
Design:
1999-2002
Realisation:
2003-2005
Client:
ING Real Estate, The Hague
Structural engineer:
ABT bv, Delft
Building services consultant:
Schreuder Groep, Heerhugowaard
Building physics consultant:
Adviesbureau Peutz & Associes bv, Zoetemeer
Contractor:
Besix, Brussels, Belgium
Awards:
International Highrise Award (2007), Dedalo Minosse (2007) and Building Quality Award (2007)

Whistling Rock Country Club golf clubhouse

Programme:
Golf clubhouse of 7,500 m² with 27 holes golf course, starter house, restaurants, 3 tea houses, luxury apartment, pro
shop, service areas, wine cellar, banquet rooms, bathing areas, multiple lobby areas and cart parking for 100 carts
Design:
2007-2009
Realisation:
2010-2012
Client:
Donglim Leisure Development Co Ltd, Seoul, South Korea
Local partner:
Gansam Partners Architects & Associates, Seoul, South Korea
Project manager:
Donglim Leisure Development Co Ltd, Seoul, South Korea
Consultants golf course:
Robinson Golf, Inc., Laguna Beach, CA, U.S.A. Field Consultant, Seoul, South Korea
Landscape consultant:
Pinnacle Landscape Company, Santa Ana, CA, U.S.A.
Contractor:
Dong Lim Engineering & construction Co. LTD, Seoul, South Korea

TU Delft Library

Programme:
University library of app. 15,000 m2 with underground book archive, reading rooms, university publisher, offices, Trésor for historical books and exhibitions, study spaces, book binder and bookshop. Steel Building Prize 1998, Corus Construction Award 2000

Design:
1993-1995

Execution:
1996-1998

Client:
ING Real Estate, The Hague;
Delft University of Technology

Structural engineer:
ABT bv, Delft

Mechanical engineer:
Ketel raadgevende ingenieurs b.v., Delft

Electrical engineer:
Deerns Raadgevende Ingenieurs b.v., Rijswijk

Main contractor:
Van Oorschot Versloot Bouw b.v.; Boele van Eesteren V.O.F., Rotterdam

Contractor climate wall:
Scheldebouw architectural components, Middelburg

Library of Birmingham integrated with the REP Theatre

Programme:
35,000 m^2 library with adult and children's library, quiet study centre, music library, community health centre, multimedia, British Film Institute, archive & heritage, Shakespeare Memorial Room, business & learning, offices, climate controlled exhibition gallery, cafes and lounge space, roof terraces, new shared auditorium (300 seats with neighbouring Repertory Theatre and urban design for Centenary Square, 1st prize competition

Design:
2008-2009

Execution:
2010- 2013

Client:
Birmingham City Council

Engineering:
Buro Happold, Birmingham, Glasgow, UK

Theatre consultant:
Theateradvies bv, Amsterdam

Design manager:
Davis Langdon Schumann Smith, London, UK

Planning consultant:
GVA, Birmingham, UK

Project manager for client:
Capita Symonds, Birmingham, UK

Contractor:
Carillion PLC, West Midlands, UK

Awards:
Commendation for significant contribution to Town Planning in the West Midlands 2011

Bijlmerpark, Amsterdam

Programme:
Masterplan for the renewal of the Bijlmerpark of
32 ha including 700 homes, about 6 ha. sports,
offices and school, 1st prize competition
Design:
2003-2004
Implementation:
2009-2011
Client:
District Amsterdam Zuidoost
Design bridges:
Mecanoo architecten, Delft
Design lace fence:
Dutch Design House Demakersvan, Rotterdam
Design game park, playing strip, king crawl,
sand- and waterplay:
Carve ontwerp- en ingenieursbureau, Amsterdam
Consultant implementation/realisation:
Marie-Laure Hoedemakers landscape architect,
Amsterdam
Contractor bridges:
Haasnoot Bruggen BV, Rijnsburg
Contractor:
Ballast Nedam, Nieuwegein

Wei-Wu-Ying Center for the Arts, Kaohsiung, Taiwan

Programme:
Theatre complex of 141,000 m^2 in the Wei-Wu-Ying
Metropolitan Park with a total capacity of 6,000
seats: Concert Hall 2,000 seats, Opera House
2,250 seats, Playhouse 1,250 seats, Recital Hall
500 seats, public library of 800 m^2, 1,000 m^2 of
rehearsal/education halls for music and dance,
2 conference halls with 100 and 200 seats and
stage building workshops, 1st prize competition
Design:
2007-2009
Execution:
2010-2014
Client:
Preparatory Office of The Wei-Wu-Ying Center for
the Arts of the Council for Cultural Affairs, Taiwan
Local architect:
Archasia Design Group, Taipei, Taiwan
Structural engineer:
Supertech, Taipei, Taiwan
Mechanical engineer:
Yuan Tai, Taipei, Taiwan
Electrical engineer:
Heng Kai, Taipei, Taiwan
Acoustic consultant:
Xu Acoustique, Paris, France
Theatre consultant:
Theateradvies bv, Amsterdam, The Netherlands;
Yi Tai, Taipei, Taiwan
Lighting consultant:
CMA lighting, Taipei, Taiwan
Organ consultant:
Oliver Latry, Paris, France
Roof and facade consultant:
CDC, Taipei, Taiwan
Steel skin consultant:
Vuyk Engineering, Groningen, The Netherlands
3D advisor:
Lead Dao, Taipei, Taiwan
Contractor:
Chien Kuo Construction Company Ltd., Taipei,
Taiwan
Steel Skin contractor:
Ching Fu Shipbuilding Company, Kaohsiung,
Taiwan
Awards:
Chicago Athenaeum International Architecture
Award 2009, International Design Award 2009,
Cityscape Architectural Award 2008

Saint Mary of the Angels Chapel, Rotterdam

Programme:
Catholic Chapel of 120 m² built on the remains of chapel from 19th century and design of the public space
Design:
1998-1999
Execution:
2000-2001
Client: R.K. begraafplaats St. Laurentius, Rotterdam
Structural engineer:
ABT b.v., Delft
Contractor:
H&B Bouw b.v., Sassenheim
Artist:
Mark Deconink

Theatre and Congress Centre La Llotja de Lleida, Lerida, Spain

Programme:
Theatre and congress centre of 37,500 m² with a theatre hall (1,000 seats), also functioning as a congress hall, 2 congress halls with 400 and 200 seats, a multifunctional space, 2 foyers, 9,500 m² of parking, lounge, terraces, a public square of 15,325 m², Mercolleida office and retail of 2,591 m², 1st prize competition
Client:
Centre de Negocis i de Convencions S.A., Lleida, Spain (project); Municipality of Lleida (competition)
Competition
Design:
2004-2005
Architect:
Mecanoo architecten, Delft
Structural engineer:
ABT bv, Delft
Acoustics consultant:
Peutz b.v., Zoetermeer
Electrical and mechanical engineer:
Deerns Raadgevende Ingenieurs bv, Rijswijk
Costs consultant:
Basalt Bouwkostenadvies b.v., Nieuwegein
Project realisation
Design:
2005-2006
Execution:
2006-2010
Architect:
Mecanoo architecten, Delft in collaboration with Labb arquitectura S.L, Barcelona, Spain
Contractor:
UTE Dragados + Obrum, Barcelona, Spain
Structural engineer:
BOMA, Barcelona, Spain
Acoustics consultant:
Higini Arau, Barcelona, Spain
Electrical and mechanical engineer:
Einesa Ingenieria S.L., Lleida, Spain
Technical architect:
J/T Ardèvol i Associats S.L, Barcelona, Spain
Costs consultant:
J/T Ardèvol i Associats S.L, Barcelona, Spain
Security and fire safety consultant:
Einesa Ingenieria S.L., Lleida, Spain
Project manager:
Eptisa S.A. Direcció Integrada, Barcelona, Spain
Awards:
Chicago Athenaeum International Architecture Award 2011, Dedallo Minose 2011

MECANOO PEOPLE／麥肯諾同事

1. Kristof Houben 2. Job van Stralen 3. Wan-Jen Lin 4. Sofia Pereira 5. Dayo Oladunjoye 6. Ron van Lochem 7. Elife Koctas 8. Anne Marie van der Weide 9. Joan Alomar 10. Rodrigo Louro Flor 11. Judith de Jongste 12. Kerem Masaraci 13. Frederico Francisco 14. Thomas van Schaick 15. Niels Hoeve 16. Gijs Sluijter 17. Yuli Huang 18. Christa de Bruin 19. Nelleke van Gulik 20. Huib de Jong 21. Angela van der Zee 22. Ronald Dumas 23. Carmen Da Silva Pereira 24. Hanneke Hollander 25. Henk Bouwer 26. Machteld Schoep 27. Leon van der Velden 28. Martijn Meester 29. Sylvie Beugels 30. Ellen van der Wal 31. Francesco Veenstra 32. Francine Houben 33. Aart Fransen 34. Nuno Gonçalves Fontarra 35. Paul Ketelaars 36. Branco Giebels 37. Eduardo Garcia Diaz 38. Inga Hilburg

39. Reem Saouma 40. Patrick Arends 41. Sjaak Janssen 42. Fedele Canosa 43. Rick Splinter 44. Koen Heslenfeld 45. Sandra Hoogendijk 46.
Sjoerd Redel 47. Friso van der Steen 48. Nicolo Riva 49. Joost van der Laan 50. Marijke Cantvoort 51. Robert van Rij 52. Marta Roy Torrecilla
53. Danny Lai 54. Willeke Smit 55. Toon de Wilde 56. Ayla Ryan 57. Arno Ottevanger 58. Seger Bekkers 59. Maarten Tenten 60. Linda den Hartog
61. Barbara van Boxtel 62. Richard Hagg 63. Jasper Tonk 64. Nick Marks 65. Ching-Mou Hou 66. Jarno Koenen 67. Julie Bonder 68. Louise Bjørk
69. Magnus Weightman 70. Marcos Rodriguez 71. Milo Creuter 72. Polina Strukova 73. Tim van Beurden 74. Yan Shi 75. Thomas-Luuk Borest 76.
Yuri Sigmund 77. Luuk van Wijlick 78. Niels Onderstal 79. Sijtze Boonstra 80. Tanja Broekhuijsen

344

Francine Houben is in 1955 geboren in Sittard, in het zuiden van Nederland. Zij is oprichter en creatief directeur van Mecanoo architecten in Delft. In 1984 studeerde ze cum laude af als architect aan de Technische Universiteit Delft. Ze won een groot aantal prijzen, zoals de Maaskantprijs voor Jonge Architecten, de Jhr. Victor de Stuerspenning, de Scholenbouwprijs, de Nationale Staalprijs, de A.M. Scheudersprijs, de Nederlandse Bouwprijs, de Cityscape Architectural Award en de Chicago Athenaeum International Architecture Award.

Sinds 2000 is Francine Houben professor Architectonische Vormgeving en Mobiliteitsesthetiek aan de Technische Universiteit Delft. Van 2000 tot 2001 was zij professor in de mobiliteitsesthetiek aan de Università della Svizzera Italiana, Accademia di architettura, Mendrisio in Zwitserland.

In 2001 ontving ze een honoray fellowship van de Royal British Architects Association. Ze publiceerde in datzelfde jaar haar manifest over architectuur 'Compositie, Contrast, Complexiteit'.

Francine Houben was directeur van de Eerste Internationale Architectuur Biënnale Rotterdam 2003 met als thema 'Mobility, A Room with a View'.

Van 2003-2005 was zij lid van het International Design Committee van Londen. Van 2002-2006 was zij Stadsbouwmeester van Almere. In 2007 is zij benoemd tot visiting professor aan Harvard University in de U.S.A. In 2007 ontving zij honorary fellowships van de American Institute of Architects and the Royal Architectural Institute of Canada.

In 2008 werd zij in Nederland uitgeroepen tot zakenvrouw van het jaar (de Veuve Clicquot Business Woman of the Year Award) vanwege de professionele organisatie van Mecanoo. In 2010 werd zij benoemd als lid van de Akademie der Künste in Berlijn, vanwege haar verdiensten op het gebied van architectuur. Francine Houben schrijft sinds 2007 columns in Het Financieele Dagblad.

Francine Houben was born in 1955 in Sittard, in the south of the Netherlands. She is founder and creative director of Mecanoo architecten in Delft. She graduated as an architect with cum laude honours from the Technical University Delft in 1984.

She has won numerous design awards, including the Maaskant Prize for Young Architects, the Jhr. Victor de Stuerspenning Prize, the Best School Building Prize, the National Steel Construction Prize, the A.M. Schreuders Prize, the Dutch Building Prize, the Cityscape Architectural Award and the Chicago Athenaeum International Architecture Award.

In 2000 Francine Houben was instated as professor in Architecture and Aesthetics of Mobility at the University of Technology in Delft, The Netherlands. She was professor at the Universitá della Svizzera Italiana, Accademia di architettura, in Mendrisio in Switzerland in 2000-2001. In 2001 she received an honorary fellowship of the Royal Institute of British Architects in London and published her manifesto on architecture the book Composition, Contrast, Complexity.

Francine Houben was director of the First International Architecture Biennale Rotterdam 2003, with the theme 'Mobility, a room with a view'.

From 2003-2005 she was a member of the International Design Committee of London. From 2002-2006 she was City Architect of Almere. In 2007 Francine Houben was appointed visiting professor at Harvard University. In 2007 she received honorary fellowships to the American Institute of Architects and the Royal Architectural Institute of Canada.

In 2008 she was awarded the Veuve Clicquot Business Woman of the Year Award for the professional quality of Mecanoo. In 2010, she was appointed member of the Akademie der Künste in Berlin, for her merits in the field of architecture. Francine Houben has been writing columns for the daily financial newspaper 'Het Financieele Dagblad' since 2007.

法蘭馨‧荷本生於1955年於荷蘭南部的城市─西塔德（Sittard），她創建位在代爾夫特（Delft）的麥肯諾建築師事務所，為公司創意總監。1984年她以優異成績畢業於代爾夫特理工大學（Technical University Delft）的建築系。

她贏得多個設計大獎，如鼓勵年輕建築設計師的「the Maaskant Prize」、「the Jhr. Victor de Stuerspenning Prize」、「最佳學校建築獎」、「國家鋼鐵建築獎」、「the A.M. Schreuders Prize」、「荷蘭建築獎」、「城市景觀獎」和「芝加哥學院國際建築獎」。

法蘭馨‧荷本於2000年成為代爾夫特理工大學的「建築與移動性美學」教授。2000年至2001年她是瑞士門德里西奧市（Mendrisio）的盧加諾大學建築學院（the Universitá della Svizzera Italiana, Accademia di architettura）教授。2001年獲倫敦皇家設計學院頒發榮譽建築師資格，並於同年出版她的建築宣言：組成、對比和複雜（Composition, Contrast, Complexity）。

法蘭馨‧荷本在2003年成為首屆鹿特丹建築雙年展的策展人，主題是「移動性─一個有視野的空間（Mobility, a room with a view）」。2003~2005年她是倫敦the International Design Committee的委員。2007在哈佛大學擔任客座教授，同年獲得美國American Institute of Architects與加拿大Royal Architectural Institute of Canada兩個榮譽建築師資格。

2008年她因麥肯諾的專業成就，在荷蘭被評為年度最佳商業女強人（de Veuve Clicquot Business Woman of the Year Award）。2010年她因在建築設計上的成就，被任命為柏林「the Akademie der Künste」的成員。從2007年起至今，她還為財經日報（Het Financieele Dagblad）撰寫專欄。

Mecanoo statements

Geloofsbelijdenis in tien statements. Francine Houben noemt de statements het belangrijkste wat ze in haar leven heeft opgeschreven. Elke nieuwe Mecanoomedewerker moet die statements kennen. Men komt binnen, men krijgt het boek, men leest. Ze heeft het afgekeken van een topman van Shell. Die vertelde haar dat alle medewerkers een kaartje op zak dragen waarop de geboden van het bedrijf staan. Het was een idee dat ze graag opvolgde.
In het kort de statements en de essentie van hun bedoeling.

1. Grond als kostbaar bezit
Los Angeles met zijn overvloed aan grond, Tokio waar elke vierkante meter is bebouwd en dichtgetimmerd. En Nederland dat zijn grond verkwist. De boodschap: wees je bewust van de waarde van grond.

2. Liefde voor de natuur
Nederland is het maakbaarste land van de wereld. Het land is zo maakbaar, dat je het ook kapot kunt maken. Put uit de rijkdom van water en lucht, bomen en bladeren, gras, keien en rotsen.

3. Collectieve verantwoordelijkheid voor duurzaamheid
Voor de waterhuishouding vinden we een collectieve verantwoordelijkheid vanzelfsprekend. Voor de duurzaamheid is die verantwoordelijkheid geen andere.

4. Stedenbouwkundige rijkdom
We moeten gebouwen en huizen ontwerpen die net als de Hollandse herenhuizen door de eeuwen heen de grote veranderingen in gebruik en schoonheid aankunnen.

5. Samenwerking als uitdaging
Interessante ontwikkelingen binnen de architectuur ontstaan door diegenen die binnen de gefragmenteerde ontwerp- en bouwpraktijk de vrijheid weten te creëren om te experimenteren èn samen te werken.

6. Regisseur en scenarioschrijver
De architect levert niet meer alleen het ontwerp. In een meer hybride proces vervult de architect de rol van regisseur en scenarioschrijver. De architect is de leidende figuur die met ideeën, beelden, sferen, maquettes en tekeningen onderzoekt wat de opdrachtgever eigenlijk wil.

7. Handschrift en taal
Stijl is een achterhaald fenomeen. In de architectuur is een sterk handschrift nodig, dat verschillende talen schrijft om adequaat op iedere locatie en opgave te kunnen reageren.

8. Compositie van leegte
Ruimte, of beter gezegd leegte, is een essentieel onderdeel van compositie, van ritme en elegantie. De ruimte tussen contrasterende vormen laat elke vorm op zichzelf beter tot uiting komen, ook in de architectuur.

9. Analyse en intuïtie
Je kunt alles proberen te analyseren, maar veel heeft gewoon met intuïtie te maken.

10. Arrangement van vorm en emotie
Architectuur moet alle zintuigen bespelen en is nooit een puur intellectueel, conceptueel of visueel spel. Wat uiteindelijk telt is het arrangement van vorm en emotie.

Credo in ten statements. Francine Houben calls the statement the most important thing that she has ever written down. Each new Mecanoo employee must know the statements. One comes in, gets the book, reads. She got the idea from a Shell top man. He told her that all employees have a card in their pocket with the company commandments. It was an idea that she gladly ran with. Briefly, the statements and the nature of their intention.

1. Land is an expensive commodity
Los Angeles, with its abundance of land, Tokyo where every square metre has been put to use. And the Netherlands that wastes its land. The message: be aware of the value of land.

2. Love of nature
The Netherlands is the most malleable country in the world. The land is so malleable that you can destroy it too. Draw inspiration from the wealth of water, skies, trees and leaves, grass, stones and rocks.

3. Collective responsibility for sustainability
The collective responsibility for the management of water goes without saying. For sustainability this also holds true.

4. Wealth of urban planning
We must design buildings and houses that, like the time-hallowed Dutch mansions, can stand up to extensive changes in use and beauty.

5. Cooperation as challenge
Interesting developments in architecture are produced by those who manage to create the freedom to experiment and to work together within the fragmented practice of design and building.

6. Director and script writer
The architect no longer supplies the design alone. The architect performs the role of director and script writer in a more hybrid process. The architect examines what the client actually wants through ideas, images, environments and drawings.

7. Handwriting and language
Discussion about style is not essential in the long run. Architecture needs a handwriting that can write in different languages in order to be able to respond adequately to each location and assignment.

8. Composition of empty space
Space, or rather empty space, is an essential part of composition, rhythm and elegance. The space between contrasting forms enhances each form, and this is true in architecture as well.

9. Analysis and intuition
You can try to analyse everything, but a lot is just a question of intuition.

10. Arrangement of form and emotion
Architecture must appeal to all the senses. Architecture is never a purely intellectual, conceptual or visual game alone. What counts in the end is the arrangement of form and emotion.

以十點宣言傳達的設計原則，是法蘭馨‧荷本認為她寫過最重要的文字與想法。每個新的麥肯諾成員都必須知道這十點宣言，一進公司就會拿到手冊閱讀。這是她從殼牌石油公司的一位高層人士學來的，他告訴她所有的員工都有一張隨身卡片，上面印有公司準則，她很喜歡這個點子。

下面是麥肯諾卡片上的宣言和意義。

1. 土地是珍貴的財富

洛杉機有無邊無際的土地，而東京的每塊地都被充分利用，荷蘭則是浪費土地。寓意是：請意識到土地的價值。

2. 向自然學習

荷蘭是世界上最有人造性質的國家，這裏的土地有相當高的可塑性，人們也因此非常容易的摧毀或忽略大自然。寓意是：從豐富的水、天空、樹、葉、草、石頭和岩石中汲取靈感。

3. 永續是共同的責任

水利管理無庸置疑是公眾集體的責任，「永續」這個議題亦同。

4. 都市規劃的力量

我們必須設計如同荷蘭別墅般，能夠經得起使用與美感考驗的建築物和住宅。

5. 以合作為挑戰

有趣的建築發展，是由那些設法開發新試驗的自由度，並在分散的設計與工程領域中合作的人們手中產生。

6. 導演與編劇

建築師不再單獨提供設計。建築師在一個更複雜多元的過程中，擔任導演和編劇的角色。建築師必須藉由想法、圖像、氛圍、模型和圖紙描繪出客戶完整的需求。

7. 手跡與語言

風格的討論並不是長期執業的思考中心。建築需要一個能以不同「語言」寫出的「手跡」，以充分反應每個案子的地點和任務。

8. 虛擬空間的構成

「空間」或是說「虛擬空間」，是「構成」、「節奏」和「優雅」最重要的元素，對比形式之間的空間，襯托出各個形的特點。建築空間構成也是一樣的原則。

9. 分析與直覺

你可以嘗試分析一切，但很多時候只是直覺的問題。

10. 形式與情感的安排

建築必須呼應所有的感官知覺，而不只是純學術的、概念的、視覺的推演，設計成果最終還是回歸到形式和情感的安排。

Mecanoo architecten in Delft, officieel opgericht in 1984, wordt geleid door oprichter architect/creatief directeur Francine Houben en technisch directeur Aart Fransen. Samen met de architecten Francesco Veenstra, Ellen van der Wal en Paul Ketelaars vormen zij de vijf partners van Mecanoo. De multidisciplinaire ontwerpen van Mecanoo vormen een combinatie van technische, menselijke en speelse elementen met oog voor detail. Bij elke opgave wordt gezocht naar innovatieve, duurzame oplossingen die aansluiten bij de specifieke context.

Naam
De naam Mecanoo is een combinatie van drie woorden: het Britse montagespeelgoed Meccano, het dadïstische tijdschrift Mécano van Theo van Doesburg uit 1922 en het motto 'OZOO', waaronder de winnende prijsvraag voor Jongerenhuisvesting Kruisplein in Rotterdam - op de locatie van de voormalige dierentuin - werd ingediend in 1981 door de oprichters van Mecanoo, toen nog studenten aan de TU Delft. Het logo van de duiker is een symbool voor vrijheid van denken en optimisme.

Locatie kantoor
Het kantoor van Mecanoo staat aan één van de oudste grachten van Nederland, de Oude Delft, in het historische centrum van Delft. Het grachtenhuis dateert uit 1750 en is ontworpen door de Italiaanse architect Bollina. Het interieur wordt gekarakteriseerd door een gang van ongeveer 40 meter lang met een monumentaal trappenhuis, plafonds en deuren met stuc- en snijwerk in de stijl van Lodewijk XIV. In de negentiende eeuw woonden enkele vooraanstaande Delftenaren in het pand. In 1886 is het verkocht aan het Rooms-katholiek Armbestuur, later de St. Hippolytusstichting, die er een pension huisvestte voor bejaarden, dat later uitgroeide tot een ziekenhuis. In 1970 vertrok het ziekenhuis naar een nieuwe locatie en kwam een architectenbureau in het pand. In 1983 huurt Mecanoo er een kamer, tegenwoordig is Mecanoo gehuisvest in het hele grachtenpand aan de Oude Delft 203.

Oeuvre
In de beginjaren werkte Mecanoo voornamelijk aan sociale woningbouwprojecten in stedelijke vernieuwingsgebieden. Tegenwoordig richt het bureau zich op complexe, multifunctionele projecten en integrale gebiedsontwikkeling, waarin stedenbouw, landschap, architectuur en interieurarchitectuur worden gecombineerd. Het oeuvre van Mecanoo is ongekend breed: huizen, scholen en complete woonwijken, theaters, bibliotheken en wolkenkrabbers, parken, pleinen en snelwegen, steden, polders en Randstad, hotels, musea en zelfs een kapel.

Ontwerpfilosofie
Mecanoo ontwikkelde vanaf de oprichting een steeds helderder signatuur. De drie woorden uit de titel van Francine Houben's boek - compositie, contrast, complexiteit – gepubliceerd in 2001, vatten de uitgangspunten samen van Mecanoo's ontwerpfilosofie. Maximalistisch zou een goed neologisme kunnen zijn voor deze architectuur die warm en tastbaar is en altijd een rijke zintuiglijke ervaring biedt.

Bureau
Mecanoo heeft zich ontwikkeld tot een gerenommeerd internationaal architectenbureau met een internationale, multidisciplinaire staf met ondermeer architecten, interieurontwerpers, stedenbouwkundige, landschapsarchitecten en bouwkundigen. Mecanoo is actief in Nederland en het buitenland, waaronder China, Taiwan, Zuid-Korea, Rusland, Duitsland, het Verenigd Koninkrijk en de Verenigde Staten.

Mecanoo architecten is based in Delft, the Netherlands and was officially founded in 1984. The practice is directed by founding architect, Francine Houben and technical director Aart Fransen. Together with architects Francesco Veenstra, Ellen van der Wal and Paul Ketelaars they form the partners of Mecanoo. The firm's designs include technical, humane and playful aspects with consideration for the larger urban and social fabric; how it affects the environment and how beauty can be created. Mecanoo innovatively combines the disciplines of architecture, urban planning and landscape architecture and approaches each project contextually.

Firm name

The name Mecanoo is a combination of three different words, the British model construction kit Meccano, the dadaïst pamphlet Mécano drawn up by Theo van Doesburg in 1922 and the motto 'Ozoo', adopted in 1981 by the original founding members of Mecanoo while still students at the TU Delft for their competition entry for a housing complex in the area of Rotterdam's former zoo. The diver logo represents freedom of thinking and optimism.

Office location

Mecanoo is located on one of the oldest canals of the Netherlands, the Oude Delft, in the historic city centre of Delft. This canal house dating from 1750 was designed by the Italian architect Bollina. The interior has a 40-metre long corridor with a stairwell, ceilings and doors with stucco work and carvings in the style of Louis XIV. After Oude Delft 203 had been occupied in the nineteenth century by several leading citizens, it was sold in 1886 to the Roman Catholic charity for the poor, later the St. Hippolytus Foundation. Until 1970 it served as lodging for the elderly and later as a hospital. In 1983

Mecanoo rented a part of the canal house and now occupies the entire building.

Oeuvre

Since 1984 Mecanoo has been working progressively on an extensive and varied oeuvre. In the early years the work consisted mainly of social housing projects in urban renewal areas. Currently the work focuses on complex, multifunctional buildings and integral urban developments, combining urban planning, landscaping, architecture and interior design. Project types include houses, schools and complete neighbourhoods, theatres, libraries and sky scrapers, parks, squares and highways, cities and polders, hotels, museums and places of worship.

Design philosophy

From the start Mecanoo developed an increasingly clear signature. The three words in the title of Francine Houben's book: composition, contrast and complexity, published in 2001, sum up the basis of Mecanoo's architecture but say little about its nature, which in all respects is the complete opposite of cool, abstract and minimalist. Maximalist might be an appropriate neologism for this architecture that is warm and tangible and always offers a rich sensory experience.

Practice

Mecanoo has grown into a prominent international architecture practice with an international, multi-disciplinary staff composed of architects, interior designers, urban planners, landscape architects and architectural engineers with projects in the Netherlands, China, Taiwan, South Korea, Russia, Germany, the UK and the United States.

麥肯諾建築師事務所於1984年在荷蘭代爾夫特市成立，獲國際認同的設計是由主創建築師Francine Houben（法蘭馨 荷本）與技術總監Aart Fransen（亞德 弗朗森）共同領導，公司合夥人有Francesco Veenstra（方濟各菲英司瓦）、EllenvanderWal（愛倫凡得瓦）、PaulKetelaars（保羅凱特拉斯）。概念出發點總是由都市與社會結構開始，結合技術面、人性面與趣味性考量，思考提案對環境帶來的影響，及如何提供美感經驗，麥肯諾的每個案子都會結合建築、都市規劃、景觀等專業的觀點，為每塊基地提出最富創意的設計。

公司名稱

Mecanoo這個名字是由三個單字結合而來，第一個是英國的建造玩具品牌「Meccano」，第二個是1922年由Theo van Doesburg繪製的新造型主義（neoplasticism）手冊「Mecano」，第三個是來自1984年贏得前鹿特丹動物園基地上之新建集合住宅時，幾位當時仍是代爾夫特理工大學學生的公司合夥人之座右銘「Ozoo」。飛翔的人形圖案，代表公司的自由思考與樂觀哲學。

公司位置

麥肯諾位在荷蘭歷史最悠久的運河—Oude Delft〔老代爾夫特〕—旁，在代爾夫特市中心的運河歷史建築內，1750年由義大利建築師Bollina設計，室內有一個40公尺的長廊連接樓梯，天花與門都有路易十五風格的浮雕裝飾，Oude Delft 203號在十九世紀被幾位富豪當過住宅，1886年賣給羅馬天主教助貧機構（the Roman Catholic charity for the poor），後來賣給St. Hippolytus Foundation，1970年成為老人安養院，之後更成為醫院，1983年麥肯諾承租這棟樓的一小部分，現在員工已占滿整棟樓。

設計作品

麥肯諾自1984年創立後，作品量與範圍持續累積，早期作品集中在都市更新區域的社會住宅設計，現在則較專注在多功能且複雜的建築機能或都市整合開發案，結合都市規劃、景觀、建築與室內設計，類型包含住宅、學校、社區規劃、高級酒店、劇院、博物館、圖書館、摩天大樓、公園、廣場、高速公路、都市設計、海浦新生地，甚至教堂。

設計哲學

麥肯諾從開業起便逐漸發展出清楚的設計風格，法蘭馨荷本2001年的著作標題—組成、對比、複雜，可以總結麥肯諾建築的基礎，設計本質從不是冷酷、抽象、極簡，而是溫暖的、觸覺的、感官經驗的觸媒，或許應該造個新詞「maximalist」來說明這種風格。

設計實踐

麥肯諾已經成長為荷蘭最傑出的建築師事務所之一，公司內有來自世界各地不同專業的員工，包含建築師、室內設計師、都市規劃師、景觀建築師與建築工程師。作品遍及荷蘭、西班牙、中國、台灣、韓國、日本、俄國、德國、英國、美國等地。

Colophon

Publisher
Uitgeverij de Kunst

Photography
Harry Cock

Author
Jan Tromp

**Concept, coordination
and photography editor**
Judith Baas

Book design
Jelle F. Post

Text editor
Hanneke Hollander

Translation
Ayla Ryan (English)
Ching-Mou Hou 侯慶謀; Vertaalbureau AABEE
B.V., Rotterdam (Chinese)

Photographs Mecanoo staff
Machteld Schoep

3d renderings and drawings
Mecanoo architecten

Graphic Design Chinese text
Bonte Graphics

Printer
Drukkerij Tienkamp, Groningen

ISBN 978 94 91196 00 3

NUR 648

Printed and bound in the Netherlands

www.mecanoo.nl
www.uitgeverijdekunst.nl